受かる具体例

エントリーシート &自己PRの教科書

2027年度版

これさえあれば。

就職コンサルタント・キャリアデザイン研究所代表
坂本直文

TAC出版
TAC PUBLISHING Group

受かるには、エントリーシートに
何を、どう書けばよいか。
あなたはわかりますか？

ほとんどの就活生は、採用担当者がエントリーシートに何を求めているかを知らず、内定者がどう書いて受かったかもわからずに書いているため、せっかく合格のチャンスがあるにもかかわらず損をしています。不合格レベルのエントリーシートをいくら書いても、時間と労力のムダです。提出した企業にはことごとく落とされ、自信を失い、就活に行き詰まってしまいます。

　私はこの本で、エントリーシートの各質問における採用担当者の隠れた意図を明確にし、そして、20年あまりにわたって指導してきた7万人の内定者の合格例をまとめ上げて、実例として紹介し、誰でも合格エントリーシートを〝短時間〟で書けるようにしました。たとえ明日提出のエントリーシートでも間に合う「内定者の書き方・実例」も紹介しています。

　本書を駆使して、「内定者レベルのエントリーシート」を手がかりに、そこに「自分の体験や自分の思いを付加」して、「個性ある独自エントリーシート」を、イッキにつくり上げましょう。

　また、近年新しい選考方法として採用されている自己PR動画についても、そのつくり方の基本から、ライバルに差をつける工夫までを丁寧に詳しく解説しました。

　あなたが本書を読んで、志望企業の内定を勝ち取り、豊かで充実した人生を送れることを心より応援しています。

坂本直文

CONTENTS

Introduction
2025年の就職活動はこう変わる！ …………………… 9

PART 1
これが通過者のエントリーシートだ！ ………… 23

PART2
エントリーシートにも自己PR動画にも
役立つ自己分析 ……………………………… 77

PART3
志望動機を組み立てる ……………… 119

PART **4**
特殊な質問にどう答える?

PART **5**
エントリーシートを書き上げる

Introduction

2025年の就職活動は
こう変わる!

採用試験では、学生の中身をしっかりチェックするために
面接重視の傾向が年々強まっています。
これはエントリーシートの重要性が下がったことを
意味せず、むしろ逆です。面接官は、エントリーシートに
書かれた内容を徹底的に深掘りして質問します。
よって、エントリーシートを丹念に書いた学生こそが
1次面接から最終面接まで突破することができます。

採用選考激変❶

自己PR動画が
一次選考の主流に？

2020年以降、採用選考は「激変」しました。
最たるものは、自己PR動画を課す企業が増えたことでしょう。

○ 自己PR動画を課す企業が増えている背景

採用選考に自己PR動画を用いる企業は、2020年度採用の時点で、すでに約1000社にのぼっていました。日本航空、資生堂、伊藤忠商事といった大手企業や、LINEなどのIT企業が率先して導入しましたが、今後も増えることは間違いなく、**数年を待たずに定番の選考方法のひとつになる**可能性はきわめて高いといえます。

背景には、スマートフォンの普及により、**動画撮影が身近になった**ことがあります。カメラやアプリの性能が向上し、ひと昔前なら大がかりな機材が必要だった動画作成も、スマホで簡単にできるようになりました。また、YouTubeやTikTokの人気からもわかるように、就活世代は自分を撮影して他人に見せることにさほど抵抗感を覚えていないことも、背景のひとつにあるといえるでしょう。

○ 採用側にも応募側にもメリットが大きい

採用側にも大きなメリットがあります。これまで応募者の〝人となり〟は、面接するまでは文字と写真で判断するしかありませんでしたが、**動きや声を伴う動画なら、よりリアルに把握**できます。

もちろん、応募者にとっても、書くことが苦手でエントリーシートや履歴書の記述に四苦八苦していた人も、**熱意を言葉だけでなく体全体でアピールできる**ので、メリットは大きいといえます。

● エントリーシートの一部と考える

一方、デメリットもあります。自己PR動画は、いわば「事前面接」なので、**見ただけで「会うまでもない」と判断されてしまう**ことがあるのです。もちろん、短い動画（大半は1分以内）でパーソナリティのすべてを把握できるわけもなく、エントリーシート（以下ES）の内容を加味して総合的に判断されるはずですが、可能性としては考えられなくはありません。

したがって、自己PR動画の作成に手を抜いてはダメです。ESと自己PR動画は「別個のもの」や「メインとサブ」の関係で考えるのではなく、**自己PR動画はESの一部**と考え、同等に力を入れるのが適切でしょう。

本書ではESの書き方に加え、自己PR動画のシナリオの書き方、印象が良くなる撮り方、ライバルとの差別化を図る方法についても、ページを割いて詳しく解説します。

● コロナ禍が採用選考に及ぼした影響に注視せよ

ここ数年、採用選考は大きく変化してきました。**本エントリーの前に「プレ・エントリー」を行う企業の増加、ESを含む選考書類をWebサイトから提出させる企業の増加**などは、その典型です。そこに2020年、新型コロナウイルスが流行して、企業の採用計画や学生の就職活動は大混乱をきたしました。Webを通したリモート面接を行う企業が急増するなど、選考方法にも影響が及んでいるのです。

自己PR動画の普及も、コロナ禍が拍車をかけた面があります。新型コロナウイルスの影響は数年（場合によっては十数年）続くといわれているだけに、**2027年度採用以降の就職活動にはもはや関係ないと考えるべきではありません。**常にアンテナを張って情報を集め、最新の状況を把握し、変化に対応するように努めてください。

採用選考激変❷

エントリーシートと
自己PR動画の比較

まずは、ESをめぐる近年の動向について説明します。
そのあとESと自己PR動画を比較していきましょう。

○ WEBエントリーシートが急増

自己PR動画の登場だけでなくESにも「時代の変化」が認められます。典型はWEBエントリーシートの急増です。かつては高性能のサーバーをもつ大手企業に限られていましたが、中堅企業にも急速に広まりました。**WEBエントリーシートが手書きエントリーシートを上回り、全体の8割を超えた**という報告もあります。

大企業以外にも急拡大した要因のひとつに、2013年に登場した汎用のWEBエントリーシステム『OpenES』（リクルート社）があることは確かでしょう。さらに「働き方改革」で採用人事に携わる社員の負担軽減が求められるようになったことも考え合わせると、**ESは今後、手書きからWebへ切り替わっていく**ことは、まず間違いないと見てよさそうです。

○ 手書きエントリーシートも根強い人気

一方で、手書きエントリーシートの利用が根強いことも確かです。いくつか理由がありますが、パソコンの画一的な文字より、**手書き文字のほうが「人間性が反映される」と考える採用担当者が少なくない**ことが挙げられます。Webへの完全移行は当分先と考え、今は手書きエントリーシートへの対策も怠るべきではありません。

ただ、新型コロナ禍のように、予想もしなかったことが起こる可

能性は常にあります。普段から情報収集に力を入れてください。

◉エントリーシートと自己PR動画の比較

ESと自己PR動画を以下に比較しました。あくまで一般的な比較であり、企業によっては詳細が異なる場合があります。ESは「手書き」と「Web」に二分されていますが、なかには**「手書きのESをPCに取り込みPDFで送信」という〝折衷的方法〟をとっている企業もあります。** いずれにしろ、事前に志望先の応募規定をしっかり確認することが重要です。

	ES（エントリーシート）		自己PR動画
媒体	手書き エントリーシート	WEB エントリーシート	動画ファイル
提出方法	郵送、会社説明会に持参など	サイトから送信 （汎用ESもある）	サイトから送信
表現方法	おもに文字 写真やイラストなどビジュアル素材の使用が可能な場合も	おもに文字 写真やイラストなどビジュアル素材の使用が可能な場合も	自身の姿と言葉 フリップなど、補助的なビジュアル素材を使用することも可能
情報量	比較的多い	比較的多い	限定的
表現手段	手書き文字	入力文字	映像と音声
特徴	文章の表現力・構成力が必要。手書きなので、文字の大きさや太さを変えたり、改行してメリハリをつけたりできるなど、表現の自由度は比較的大きい。修正は書き直しになるなど、作成の労力は非常に大きいうえ、最後まで読んでもらえるとは限らない	文章の表現力・構成力が求められる点は手書きと同じ。文字のサイズや改行などはできない場合が多く、表現の自由度は小さい。何度も修正・書き直しができるので、作成の労力は多少軽減されるが、最後まで読んでもらえるとは限らない	自由にPRできる場合と、あらかじめテーマが決められている場合がある。自分自身をストレートにアピールできるのが最大の特徴。表現方法は基本的に自由だが、一定の節度は求められる。指定される場合もある。長くても1分以内なので、最後まで見てもらえる可能性は高い。その分、入念な準備が必要となる

採用選考激変❸

エントリーシートと
自己PR動画の目的

なぜ企業はESを必要とするのでしょう？
ESが導入された経緯からその目的を探ります。

◎ 意外と浅いESの歴史

　今では当たり前のように使われているESですが、その歴史は比較的浅いことをご存じでしょうか。ご両親やおじいさん、おばあさんに聞いてみてください。おおむね50代半ば以降の人であれば「そんなものはなかった。履歴書だけだった」と返ってくるはずです。ESが選考に使われるようになったのは1990年代以降のことで、まだ30年ほどの歴史しかありません。

　わが国の新卒採用の制度や慣例は、紆余曲折を経て現在に至っています。なかには今の世を生きる皆さんには信じられないであろう制度もありました。たとえば、1980年代の初頭あたりまで続いた「指定校制度」は、その典型でしょう。企業側が採用する学生の出身大学をあらかじめ決めてしまうもので、指定校以外の学生は「受けさせてもくれない」という、なんとも差別的な制度でした。

◎ 人物本位の選考に移行する過程で登場

　ほかにも、男女を指定して募集したり、色覚について「正常者」と条件をつけたりなど、現代から見れば驚くような制度が当たり前に通用していた時代もあったのです。しかし、時代が進むにつれ、そうした制度は、さすがに通用しなくなりました。

　次第に「人物本位で選考すべきだ」という社会的機運が高まり、

バブル景気の崩壊で優秀な人材を厳選して選考する必要に迫られたという企業側の事情もあって、新たに考案されたのが「エントリーシート」だったのです。ソニーが1991年度の採用で導入したのが最初とされています。

その後、多くの企業がESを導入するようになり、今では採用選考上欠かせない書類になりました。ただし、現在でもESを使わない企業も、少なからずあります。

以前は面接で聞いてみるまでわからなかったパーソナリティが、**ESによって事前にある程度わかるようになった**ことは、企業にとって大きな利点といえます。学生側にしても、定型化されてしまい書ける内容に限りがある**履歴書より、自分の〝セールスポイント〟を強くアピールできるES**のほうが、大きなメリットがあります。

一方で、読む採用側と書く応募側の双方に、非常に大きな負担と労力をかけます。それが社会から批判されたりもしています。

●ESの目的は「面接につなげるため」

ESの歴史を簡単に述べたのは、ES導入の目的を理解してほしかったからです。**企業が「人物本位の選考」を行うために導入したツール**ということは理解できたと思いますが、これは志望者側からすれば、自分がどんな人物か──どんな能力があり、どんな経験をして、どんな意欲をもっているかといった**「パーソナリティ」をアピールするツール**ということになります。

なぜアピールするかというと、目的は「面接に進むため」「実際に会ってもらうため」にほかなりません。自己PR動画も同様です。したがって、会ってもらうにはどうしたらいいか、どんなアピールをしたらいいかを考えて作成する必要があります。そして、そのアピールは「ひとりよがり」のものではなく、**志望企業の側がメリットを認めるもの**でなくてはなりません。このことを意識して作成しましょう。

採用選考激変❹

「自己分析」が
明暗を分ける

ESや自己PR動画は、自身を「セールス」するツール。
「何を売るか」を明確にする必要があります。

●「笑顔」や「体力」は、長所ではない？

　ESや自己PR動画の作成で問題になるのは、何をアピールするかです。「そんなの、わかります。自分のことだから」と思った人、本当にそうですか？　では、自分の長所はなんでしょう？

　ここで、たとえば「笑顔です」「体力です」と答えた人は、残念ながらNGです。常々そうほめられたり、自信をもっていたりすることだろうと思いますが、採用担当者からすれば「ありきたり」で「どう役立つかわからない」と判断されます。実は、この**「どう役立つか」が、何をアピールするかの重要な〝鍵〟**になっています。

●ESの「長所」とは？

　ESに書く「長所」とは、「仕事に活かすことができる素質や能力、特技など」を指します。なので、必ずしも「周囲から称賛されること」とイコールになるとは限りません。

　自分のことは、案外、自分ではわからないもの。長所は誰にも必ずあるものですが、「長所と呼べるものはない」と思い込んでいる人さえいます。

　本書では、**仕事で通用する資質を探る「自己分析」を重視**します。自己分析を徹底することで、志望先に通用する「長所」を探り、アピールポイントを見つけていきます。

● 自己分析の方法

本書では、**自己分析シート（必要に応じて他己分析シートも使用）をチェックしたあと、○（マル）つけ方式や書き足し方式で「長所」を見つけ、アピールポイントを固めていきます。** この過程で、平凡な長所を、強いアピールポイントに変換することも可能です。たとえば、前出の「笑顔」や「体力」も「どんな相手にも笑顔を向ける」「長時間の作業にもへこたれない体力」とすれば、強力なアピールになります。

自己分析がしっかりできれば、採用担当者に注目されるESや自己PR動画の作成につながり、面接への道が開けます。

自己分析の成否が合否を分けるといっても過言ではありません。

〔本書の「自己分析」で用いるツール〕★PART2で詳説

〔自己分析シート〕
素質に関する30項目をチェック。具体例もリストアップ。
(P.79)

〔他己分析シート〕
自己分析シートと同じ内容をほかの人（複数推奨）にチェックしてもらう。
(P.71)

〔○つけ方式リスト〕
志望職種に求められる能力・素質が、現在の自分にあるか確認する（あれば、その点をアピールにつなげ、なければ身につける努力につなげる）。
(P.80～95)

〔書き足し方式フォーマット〕
フォーマットの空所に書き足すことで、何をアピールポイントにすればいいかを探っていく。
(P.96～117)

Introduction

2025年の就職活動はこう変わる！

17

エントリーシートSOS❶

明日が締め切り！
——1日で仕上がる？

ESの提出期限は明日。まだ何も書けてない。
何を書くかも決まってない——さぁ、どうしましょう？

●「1日ではとても無理だよ」と答えたいところですが……

「明日がESの提出期限です。先生、なんとかなりませんか？」という "SOS信号" がくることがあります。いろいろ事情があったのだろうとは思いますが、さすがに1日前ともなると「今日まで何をしていたの？」と聞きたくなります。私が大学生協主催の就職セミナーでよく話すテーマは**「締め切り3日前でも間に合うESの書き方」**なので、3日前ならともかく、今日の明日では「無理だよ」と答えたくなるところです。でも……実をいうと「まったく不可能」ではありません。

●まず「自己分析」ができているかどうか

同じ「ギリギリになってしまった」という状況でも、状況や理由はそれぞれ異なるはずです。「自己分析はできているし、志望動機もアピールしたい長所もハッキリしている。でも、書くことが苦手なので自己PR文がまとまらない」——ということなら話は簡単。「PART5：エントリーシートを書き上げる」で、構成の基本を確認してください。これに沿って書けば形になるはずです。

一方、「アピールポイントが見つかっていない」「自己分析もできていない」という場合は少々厄介です。今から分析している余裕はありませんから、**とにかく自分の "ウリ" を決めてしまいましょう。**

●「書き足し方式」でアピールポイントを決める

「PART2：エントリーシートにも自己PR動画にも役立つ自己分析」の「書き足し方式」(P.96～117) に目を通してください。ここにある11ジャンルから自分に必要なものを選び、フォーマットに書き込みましょう。その内容をもとに、自己PR文を組み立てていきます。

たとえギリギリになっても、最後まであきらめる必要はありません。とはいえ、**早くから自己分析し、それにもとづく入念な準備を行ったうえで対策を進めるのがベスト**であることも確かです。まして、本章の冒頭に述べたように、就職戦線はここ数年で激変し、新型コロナウイルスの影響もまだまだ続くであろうことを考えると、1日も早い行動開始が合格につながることは間違いありません。

〔1日で仕上げる"合格する"ES〕

自己分析
- 自分はどんな人間か
- 自分の長所は何か

志望動機
- 志望企業について理解している
- 自分のやりたいことと企業の方向性が
  マッチしている

ここまでできていれば1日で十分

できていなければせめて"ウリ"を決めよう！

P.96～117の"書き足し方式"から1ジャンル選び、そこに自分を当てはめる。企業研究は、**受ける会社のHPには最低限、目を通しておく**こと。

エントリーシートSOS❷

一度落ちても
リベンジは可能？

ESで落とされてしまった。でもあきらめきれない……。
書き直して「再挑戦」することは可能でしょうか？

●基本的には「ほかの企業を目指しなさい」ですが……

　就活シーズンが中盤に近づくと「ESを出して落ちてしまいました。しっかり企業研究し、志望動機も明確にアピールしたのに、納得できません。書き直して再挑戦することは可能でしょうか？」という相談がくるようになります。採用選考は入学試験のように得点では決まらないので、「どうして？」と疑問に思う気持ちはよくわかります。落とされたことで人間性を否定された気分になり、次のステップが踏み出せなくなる人も少なくありません。

　しかし、自分では自信満々でも、ほかの応募者と比べた結果だったり、自覚していなかった〝弱点〟があったりなど、**必ず「原因」はあります。**反論しても仕方ありませんし、すべきものでもありません。

　なので、基本的には「キッパリ忘れてほかの企業を目指しなさい」と勧めています。気持ちを引きずるのがいちばんよくありません。

●熱意が伝われ*ばチャンス*につながることも

　とはいえ、どうしてもあきらめきれないなら、再挑戦する価値は「あり」でしょう。熱意が伝わって逆転合格した例もゼロではありません。熱意は強い武器となります。実際、いろいろな企業の採用担当経験者に「記憶に残る就活生は？」と聞くと、異口同音に「一

度落ちてもめげず、再びアプローチしてきた粘り強い人」と回答します。

　ただ、企業は採用計画にもとづいて年度の採用人数を決めています。不合格者を再審査することは、採用計画の変更につながるので、採用担当者の一存では決められないはずです。したがって、**上司やほかの人事担当者にも「この学生は〝特例〟で再審査する価値がある」と認めてもらわなければなりません。**それには不合格の原因を分析・推測し、徹底的に書き直すことが必要になります。

●何度も何度も書き直す

　原因の徹底分析と書き直しは、落ちた企業への再挑戦だけでなく、ほかの企業を目指す場合にも重要です。書き直すことは、ほかの企業の合格にもつながりますので、決してムダではありません。

　分析は自分だけで行わず、ほかの人にも見せて意見を聞くこと。大学のキャリアセンター（就職課）職員や、志望企業に勤務するOB・OGがベストです。OB・OGに見てもらうと、志望先の採用担当者の目線で見てもらえるので非常に参考になります。

　いずれにしろ、何度も書き直すことを面倒がってはいけません。**書き直すたびに文章は洗練されていきます。**大手企業の内定者に聞くと、7〜10回程度は書き直したという人はザラです。それくらい努力しなければ、大手の内定は勝ち取れないということです。

●それでもダメだったときは……

　書き直して再提出しても、逆転できる可能性はゼロではありませんが、非常に低く、再び「ダメ」ということも当然ありえます。そのときは今度こそ「縁がなかった」と見切りをつけましょう。二度落ちると、意外とすんなり未練を断つことができ、次のステップへの意欲がわいてくるものです。**挫折は人を強くします。**精神が鍛えられた分、内定を勝ち取る力はレベルアップしているでしょう。

column1

就活は「PDCAサイクル」 を回せ

就職活動をする際には、「PDCAサイクルを回す」ということを、ぜひ心得ておいてほしいと思います。「PDCAサイクル」とは〔Plan（計画）〕→〔Do（実行）〕→〔Check（点検・評価）〕→〔Act（改善）〕を順次行い、最後の〔Act〕を新たな〔P〕につなげ、さらに〔D〕→〔C〕→〔A〕と進めて、らせんを描くようにレベルアップしていく手法です。

PDCAサイクルは、本来はビジネス用語ですが、就職活動にも応用できます。最も重要なのは〔P〕です。計画は具体的に立ててください。たとえば、ある就活生（大手商社に内定）は、「SPI※の勉強計画」「ESの作成計画」「OB・OG訪問計画」の3つの計画を立てました。そして、それぞれについて「①何を」「②どのくらい」「③いつまでに」やるか、具体的な目標を設定しました。たとえば〔OB・OG訪問計画〕は……

①第1志望の企業に勤めるOB・OGを訪問する

②第1希望〜第3希望の各部署にいる社員1名ずつ（計3名）を訪問する

③〇月〇日までに実行する

といった具合です。これにもとづいて実行〔D〕し、③で設定した期日に〔C〕を行い、計画どおりに進んでいない部分があったら、改善策を考え〔A〕、新たな〔P〕に盛り込んで、次のサイクルへつなげます。サイクルを円滑に回すためにも、できるだけ具体的な計画を立てることがポイントです。漠然とした計画では効果は望めません。

※SPI総合検査。リクルートマネジメントソリューションズ社が提供する総合適性検査で、入社試験でよく用いられる。

PART

1

これが通過者の
エントリーシートだ！

受かるエントリーシートには理由があります。
希望の企業に受かった先輩たちは、
実際に、どんなエントリーシートを書いたのでしょうか。
たくさんの実例とともに、何が良くて、何が悪かったのかを
分析していくことで「受かるエントリーシート」が
書けるようになります。

エントリーシートで落とされる原因は？❶
紙かWebかで
書き方・見せ方は変わる

紙とWebはまったく異なる媒体です。内容が同じでも、
書き方・見せ方は違うことを理解する必要があります。

◉ 紙タイプか、Webタイプか

　ESは、**用紙に書いて提出するタイプ**と、**Webサイトに入力して提出するタイプ**の２種類があります。紙タイプは、**手書きが必須**の場合と**パソコンで作成して印刷したものでOK**の場合があり、さらに**様式が定められているもの、自由に作成してよいもの**にも分けられます。志望する企業がどのタイプを受けつけているか、事前にしっかり確認しておくことが必要です。

　Webサイトからのエントリーを求める企業は採用サイトに**専用フォーム**が用意されています。入力には制限時間が設けられていることも多く、オーバーすると最初から入力のし直しとなるので注意しましょう。前もってWord等で作成し、コピー＆ペーストするのが無難です。提出した内容をあとで検証することもできます。

◉ 表現の自由度が大きい紙、制約があるWeb

　紙もWebもテキスト（文字）を扱う点では同様ですが、媒体の性質は大きく異なります。したがって、それぞれで作成する文書は、内容的に同じだとしても、**まったくの別もの**と考えてください。

　最も大きな違いは**表現の自由度**です。紙の場合、文字の大きさや太さを変える、改行するなどしてメリハリをつけることができますが、Webはほとんどの場合、それができず、**表現に制約があります**。

紙タイプの書き方の基本

障害者のケアを通して「気づく能力」を培いました

重度障害者施設でボランティアを３年間続けています。そこで学んだのは、意思疎通が難しい障害者の方の要求に、自ら気づくことでした。話すことさえできない方が、不自由な手で折った折り紙を私にプレゼントしてくれたときはとてもうれしかったです。お客様のかゆいところに手の届く接客をし、貴社に貢献したいと思います。

ポイント

○見出しと本文に分けることは書き方の基本です。単に本文の要約を見出しにすればいいというわけではありません。面接を想定し、**面接官からの掘り下げ質問を誘い出したい内容**（＝自己アピール点）を、**大きめ**かつ**太い字**で見出しにすることが大事です。

Webタイプの書き方の基本

障害者のケアを通して【気づく能力】を培いました。■重度障害者施設でボランティアを３年間続けています。そこで学んだ重要なことは、〔意思疎通が難しい障害者の方の要求に、自ら気づくこと〕でした。話すことさえできない方が、不自由な手で折った折り紙を私にプレゼントしてくれたときはとてもうれしかったです。お客様のかゆい所に手の届く接客をし、貴社に貢献したいと思います。

ポイント

○Webではフォームに入力した文字の大きさや太さを変えたり改行したりできないことが大半です。見出しや強調したい語句は、■●▲【　】〔　〕など、記号やかっこを使って目立たせます。

エントリーシートで落とされる原因は？❷

学生が気づかない
エントリーシートのNG

落とされてしまうESには、共通する明確な理由があります。
大半の学生はそれに気づいていません。

○ 評価を決めるのは〈内容〉だけではない

　まず「内容が良ければ」「積極的にアピールさえすれば」と考え
ている人には「それは大きな間違い」であることを指摘しておきます。
実際、まったく読まずに不合格の烙印を押す担当者は少なからず存
在します。まずは読んでもらうことを目指さなければなりません。
　その関門を突破するのに必要な〝鍵〟は「第一印象」。具体的に
は【字】【顔写真】【送付状】【封筒】の４つに留意することです。

○【字】は、くっきり読みやすく

　まず【字】。汚い字で書かれていては読む気が失せます。読みやすい
ことが第一。やや強めの筆圧で、くっきり丁寧に書きましょう。ベテ
ラン面接官のなかには、字の書き方をチェックし、弱々しい字や読みに
くい極端なくせ字を書く学生の評価を下げている人もいると聞きます。

○【顔写真】は、元気で好人物に見えるように

　【顔写真】で性格や気質をチェックする面接官は少なくありませ
ん。照明の整った、写真スタジオで撮影するのがベストです。

○【送付状】を添えると好印象

　【送付状】（添え状、カバーレター）は合否に無関係ですが、あると好

印象（加点）につながります（クリップで留めて添える）。パソコンでも
OKですが、丁寧に手書きすると印象がアップします。

●【封筒】は中身も外も整える

【封筒】の中身が乱雑では印象を下げます。クリアファイルに挟
んで封入しましょう。宛名書きも丁寧に。ここに応募者の〝素″が
現れると考え、チェックを心がけているベテラン面接官もいます。

●ESは「ビジネス文書」と心得よ

ESの「書き方」にも〝盲点″があります。それは、ほとんどの
学生が、**ESはビジネス文書である**ということを理解していないこ
とです。大半のESが、読みづらい作文スタイル（起承転結）で書か
れていることが、その証拠です。

一方、ビジネス文書は、次の2つが書き方の基本になります。

❶ 見出しをつける　　❷ 結論から書く

見出しは本文の内容を端的に表しますが、前項で述べたように、
面接で質問してほしいことを見出しにすることをお勧めします。本
文は**具体的かつ簡潔**に。以上の書き方に変えるだけでも「見やすい
文書をつくれる人」という高評価につながります。

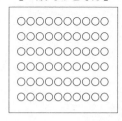

【一般的な書き方】	【ビジネス文書】

全体が文字でぎっしり埋まって見づらく、内容が伝わりにくい。

要点を見出しにして、文章は簡潔にする。見やすく伝わりやすい。

さらに、手書きの場合は太さの異なるペン（3種類くらい）を使い
分けましょう。見出しだけでなく、本文中でも、目立たせたい語句
を太めにすると効果的です。アンダーラインもお勧め。ただし、全
体のバランスを考えることが大切。やりすぎは逆効果です。

内定者エントリーシートBefore＆After ❶

文字にメリハリをつけて
意欲を伝える

実際のESの修正前（Before）と修正後（After）を
比較してみましょう。通過のポイントが見えてくるはずです。

　下の例は、ある学生が書いたESをもとにしています（一部抜粋・改変）。この内容で7社に応募しましたが、すべて不合格でした。そこでNGだった理由を分析して、書き直すことにしました。

Before

① 得意な科目または研究課題とその成果

ゼミの活動を通じ、事実とされていることを疑う力、ほかの可能性を見つける力を身につけました。ゼミのディスカッションでは、論文を鵜呑みにしないようにと教授からいわれていましたが、当初は論文の内容にとらわれ、ひとつの観点で考えることしかできませんでした。そこで、ほかのゼミ生の意見をもとに考えることで、新たな視点を見つけるようにしました。

② 学業以外に力を注いだこと（クラブ、スポーツなど）とその成果

アルバイトの塾講師の業務のひとつである保護者面談で、保護者の想いに応えられる面談をしようと、保護者の声に耳を傾けることを重視しました。志望校合格というニーズに応えるため、志望校を研究し、生徒の特性に合った、最短距離で成績を伸ばす方法を導き出しました。

③ 自己PR

組織を目標達成に導くことができます。学園祭実行委員会の広告協賛の仕事で後輩4人をサポートしました。後輩の目標件数が締め切りまでに達成しそうになかったので、何が原因で契約が取れないのかをともに考え、話し方やマナーなど基本的なことから確認しました。また、企業側に広告を載せるメリットを話すようアドバイスし、さらに現状報告する場を設けて情報を共有しました。これらを心がけた結果、35件の目標を達成できました。

ここがNG

✖ **具体性に欠ける**
「得意な科目」を聞かれているのに具体的な科目名が書かれていないなど、全体的にあいまい。

✖ **的外れな回答がある**
❷は、学内で取り組んだ、勉強以外の活動について述べるべきです。

✖ **書き方にメリハリがない**
漫然と書かれているため、目を引くところがありません。

⬇

こう工夫しよう!

◎ 読む人に伝わる文章表現は、**具体的で読みやすい**ことが第一です。**見出しをつける**ことは基本中の基本。**成果**も添えました。学園祭実行委員会での実績は❸ではなく❷でアピールしました。❸では、自身の努力で獲得した能力のアピールに変更しました。次のESで応募したところ、4社の内定を獲得しました。

After

❶ 得意な科目または研究課題とその成果
社会学ゼミ（最高評価S獲得）

この科目を学ぶにあたり、①講義に出た専門用語をメモし、質問する ②講義に関連する文献を読み、理解を深める ③講義を履修していない友人3人に説明する という取り組みを行いました。

- -

❷ 学業以外に力を注いだこと（クラブ、スポーツなど）とその成果
学園祭実行委員会・広告営業責任者の仕事（35件の新規契約を獲得）

3年生のときに責任者を任されました。電話営業を60件、訪問営業を40件行い、出稿企業の新規開拓に取り組みました。その結果、委員会で決めた目標の2倍以上である合計35件の新規契約をいただくことができ、学園祭パンフレットのカラーページを増やすことができました。

- -

❸ 自己PR
腹筋100回できる体力があります（3年間、毎日欠かさずトレーニング）

3年間、吹奏楽部で毎日鍛えました。担当は全楽器のなかでいちばん肺活量が必要なトロンボーンです。毎日100回の腹筋を欠かさず3年間続けた結果、安定した音を長く深く出せるようになり、最後の年のコンクールでは、全部員のなかで最長の50小節のソロパートを任されました。

内定者エントリーシートBefore＆After❷
写真を工夫して
意欲を伝える

添付する写真の印象は、ES全体の印象につながります。
写り具合に細心の注意を払いましょう。

●ESの第一印象＝顔写真の印象

ESを開くと、まず顔写真に目がいきます。つまり、**ESの第一印象は顔写真にある**のです。担当者が関心を抱き、この人のESなら、ぜひ読んでみたいと思うような写真を添付することが肝要です。

といっても、あまり難しく考える必要はありません。要は、**好人物に見え、**入社への**熱意が伝わる写真**であればいいのです。下の2枚を比べれば、どちらが効果的か、一目瞭然でしょう。

Before

就活写真とするには、アピール度が少し足りません。髪をまとめてすっきり見せるなど、清潔感を与える工夫を。視線も合っていないので、自信がなさそうに見えてしまいます。

After

すっきりと就活用に整えられた写真です。襟も少し立て気味にしてスーツを着こなしています。準備万端で、自信にあふれた余裕のある笑みが好印象を与えています。

●顔写真を好印象にする4つのポイント

顔写真は友人に頼んだり証明写真ボックスで撮ったりせず、必ず写真スタジオで撮影すること。ましてや〝自撮り〟など、もってのほかです。スタジオなら照明が整っており、助言も受けられます。撮影時は以下の点に注意しましょう。

ポイント

1 口角を上げる
明るい表情になります。左右均等に上げること。よく噛む側が上がりすぎる傾向にあるので注意しましょう。

2 黒目を目の中心に合わせる
目の印象が爽やかになります。黒目が適正な位置にあるかどうか、カメラマンなどからアドバイスしてもらいましょう。

3 目をパッチリ見開く
瞳が輝いて見えます。軽くあごを引き、カメラのレンズのやや上方を見ます。これを基本に微調整しましょう。

4 カメラを面接官であると思う
生き生きした表情になります。カメラを機械だと思って対するのと人と思って対するのとでは、気持ちの入り方が違うからです。

ほかの項目でも写真を使う

写真はパーソナリティを具体化し、アピール力を高めるために非常に役立ちます。顔写真添付箇所以外に写真使用が許可されている欄がある場合（例：[自由記入欄] 等）は、積極的に工夫を凝らして使いましょう (P.73)。

内定者エントリーシートBefore＆After ❸

企画の提案で
意欲を伝える

企業の関心事はあなたを採用することの利点。
志望する企業に「いかに役に立つか」をアピールしましょう。

● 「ファン」の視点ではなく、企業側の視点で考える

A社を志望する人がA社の商品（またはサービスなど）を好きなのは
当たり前です。いかに好きか熱弁したところでファンからのラブ
コールと大差はなく、採用に有利にははたらかないでしょう。そこ
からは **「自分の仕事にする」という覚悟が感じられない** からです。

採用担当者は、その人を採用することで、自社の企業価値の上昇
につながってほしいと期待します。要するに **「ウチの会社を儲けさ
せてくれる人（その可能性がある人）に来てほしい」** ということです。
この「基本原則」を認識していない人が思いのほか多いのです。

自分が入社を志望するほど好きな会社のファンを増やすにはどう
したらいいか……そう考えるのが、仕事的な視点です。そのために
実現したい商品・サービスの販促企画を立案してみてください。

● 可能な限り、実際にサービスを利用してみる

ESで、志望者に企画やアイデアの提案を課す企業は少なくあり
ません。そこで評価されるのは提案の実現性ではなく、企業・商品・
サービスへの理解度と職業意識の有無です。

そのためには、志望企業の商品・サービスの研究は基本です。実
際に使用したり利用したりしてみて、競合する国内外の企業の商品・
サービスの比較・分析を書くことが高評価につながります。

貴社のアトラクションがいちばん好きです

私はテーマパークが大好きで、年間10回くらい足を運びます。首都圏が中心ですが、大阪、名古屋や北海道まで遠征することもあります。それぞれ個性があって面白いのですが、私が重視しているのは、アトラクションの楽しさです。貴社が運営する〇〇〇〇のアトラクションは私のベスト1。何度乗っても飽きません。

ここがNG

✖ 単なる感想文になっている

「テーマパークが好き」という感想文に終始し、それが志望動機にどう結びついたのかわかりません。「ベスト1」と称賛していますが、ほかと比べて何がどう違うのか書かれていません。

✖ 職業意識が希薄

入社したらどう活躍するつもりか不明です。「仕事にする」という意識・覚悟が伝わらず、アピール力を感じません。

こう工夫しよう！

◎ **「好きなもの」**から**「仕事対象」**へ**意識変革**を。そのうえで自分の経験を踏まえて**分析**し、自分なりの**提案**をしてみました。

After

魅力度をさらにアップさせる企画を提案いたします

年間10回くらい、全国のテーマパークに足を運んでいます。最近は、行った先々で「どうすれば、もっと楽しくなるか」と考えるようになりました。そこで、国内外のテーマパーク20カ所を比較・分析し、それぞれについて、さらに楽しくなるアイデアを考案しました。貴社は私にとってベスト1ですが、さらなる集客アップにつながると自負するアイデアが5つあります。面接で披露いたします。

学業欄の書き方❶

全業界共通！
〔学業欄〕の基本

〔学業欄〕は、ただ「何を勉強したか」を書くのではなく、
「仕事とのつながり」を意識して書く必要があります。

● 学んだ内容を「説明」する欄ではない

　〔学業欄〕では、専攻した分野、研究したテーマを説明すればい
いと思っている人が多いかもしれません。しかし、それでは落とさ
れる可能性が大です。採用側が期待する内容ではないからです。

　学生の多くは、専攻分野とは直接関係のない業種を志望します。
国文学科だからといって出版社志望とは限りませんし、経済学科で
も金融機関以外を目指す人はたくさんいます。それは採用側も承知
のうえ。では企業側は〔学業欄〕に何を期待しているのか。それは
学業を通じて**「仕事で通用する〝何か〟をつかんでいるか」**です。

● 仕事に取り組む姿勢につながる研究姿勢をアピールする

　研究内容の説明とともに、**研究への基本姿勢と、それが仕事に通
じることを記述する**――これが〔学業欄〕のアピールポイントです。
逆にいえば、ゼミや卒業論文・卒業研究などは、仕事との関連を意
識して取り組んでおく必要がある、ということにもなります。

　もちろん、理工系で研究職・技術職志望の場合など、専攻分野や
研究テーマそのものが、評価の対象になる場合もあります。その場
合も、研究姿勢を仕事に取り組む姿勢と関連づけること。これは、
志望業種や出身学科に関係なく、すべてに共通する高評価を得るた
めのポイントといえます。

Before

私は北陸地方の浄土信仰について研究しました。浄土信仰の源流は古代インドに求められ、日本のオリジナルではありません。それがなぜ北陸地方で「一向宗」として隆盛をきわめたのか。親鸞や蓮如のカリスマ性だけが要因ではないはずです。私の研究課題は、浄土信仰が北陸に根づいた素地を地理的・歴史的に考察し、さらに地域性に及ぼした影響まで推察することです。多くの史料・文献に当たることで考えが整理され、より深く考察できたと自負しています。

ここがNG

✖ 単なる説明文になっている

研究テーマを説明しているだけ。思索はできても、実践を伴う行動力に欠けると思われてしまうかもしれません。これでは「ビジネスパーソンより研究者向き」と評価されてしまう可能性があります。

こう工夫しよう！

◎ フィールドワークを重視する研究姿勢を前面に出すことで、現場で活躍できる行動力を示すとともに、高成績を得たことも書き添えて、学習能力の高さもアピールしました。

After

北陸地方における浄土信仰の研究
（現地でフィールドワークを行い、A評価を獲得）

浄土信仰が北陸地方に根づいた地理的・歴史的背景について、頭と足を使って実践的に研究。その結果、最高評価のAを獲得しました。

【特に力を入れたこと】
- 現地の郷土資料館、図書館、寺院を実際に訪ねて文献・史料を調査
- 信仰の中心だった地域を歩き、自分の目で実感して風土を考察
 ⇨ 頭で考えるだけでなく、足も使って調べることで、地道に努力を重ねること、自分の目で確かめることの大切さを実感

学業欄の書き方❷
成績が悪くても
高評価を得る

学業成績が芳しくない場合も、合格の可能性はあります。
逆転の決め手は「リカバリーする力」です。

● 学業の好成績は積極的にアピールせよ

　前項で例示した〔After〕では、A評価を得たことをアピールし
ています。専攻・研究が直接の評価対象でなくても、学業成績は採
用側の大きな関心事。面接に進めば必ず質問されるでしょう。

　学業の成績は学習能力の反映です。「学習」は、実社会に出たあ
とも続きます。好成績の人は、その学習能力が業務でも活かされる
と期待されるため、採用者の評価が高くなりますから、**学業の好成
績を積極的にアピール**しない手はありません。

　とはいえ、たとえ芳しくない成績でも、あきらめなくて大丈夫。
学業の失敗を**高い評価に逆転させる方法**があるからです。それは**リ
カバリーする力がある**ことをアピールすることです。

● 学業上の失敗を高評価に逆転させる方法

　「失敗は成功のもと」。ビジネスは失敗と成長の繰り返しです。「失
敗に学び、教訓を得て、考え方や方法を変え、同じ失敗をしないよ
う改善に努める」。こうしたリカバリー能力がある人は、**ビジネス
パーソンの素質がある**と高く評価されます。

　学業上の失敗も、それをバネに頑張って一定のレベルまで到達し
た、失敗から教訓を得て意識や行動パターンをあらためた、といっ
た体験談は、高評価につながる可能性が大です。

第２外国語はスペイン語を選択しました。卒業後、大好きなラテンアメリカに関係する仕事に就こうと思ったからです。しかし、１年めは最低のＣ評価。これではいけないと発奮し、猛勉強を始めました。

❶ オンラインのマンツーマン・スペイン語レッスンを１年間受講
❷ スペイン語の映画やドラマを積極的に視聴（年間30本）
❸ ２年次の夏休みにメキシコへ１カ月オンライン短期留学

こうした努力が実って、２年めはＡ評価を獲得しました。

ポイント

◉教科を問わず、自らの創意工夫と努力で苦手を克服した経験は、採用担当者から高い評価を得やすいものです。入社後の実務における失敗と成長に通じるからです。自分への投資（短期留学）を惜しまない姿勢も好感をもたれるでしょう。

スマホとノートでスケジュールを徹底管理

ゼミの重要なレポートの提出日を１日間違える大失敗をしました。苦労してまとめた力作を、自分のうろ覚えで無駄にしてしまった後悔から、今後は予定を徹底的に管理すると決意しました。予定はすべてスマートフォンのスケジュールアプリに入力し、24時間前、12時間前、３時間前の３回アラートが鳴るように設定。併せてＡ６判ノートをスケジュール帳にして携帯し、書き方を工夫して予定の詳細も管理しています。おかげで期限に余裕をもって間に合わせることが当たり前になりました。

ポイント

◉学業そのものの成績ではなく、その周辺での失敗を克服した経験もアピールの材料にできます。この例文では、ビジネスでも基本的かつ重要事項であるスケジュール管理について、失敗をどうリカバリーしたかを具体的に説明しています。

ガクチカ❶
アルバイトの経験を
アピールする

ガクチカとは〔学生時代に力を入れたこと〕。
アルバイトの経験や実績は、採用担当者からよく問われる項目です。

● アルバイトの経験がなぜ重視されるのか

　ガクチカは**「学業に関すること」**と**「それ以外」**に大別されますが、**採用担当者の関心を引くのは、実は後者**です。学生が〝本分〟である学業に力を入れるのは当たり前のこと。「そのほか、何に取り組んだか」に、各人の個性が如実に表れると考えるからです。

　「そのほか」には部活動・サークル活動、資格の取得、ボランティア活動などがありますが、**アルバイト**は、入社後の**仕事につながる経験をしているかどうか**がわかるため、非常によく質問されます。

　よって、何をしたかより、**どんな姿勢で取り組んだか、どんなことを学んだか**が評価されます。担当者も学生時代にアルバイトを経験したはずなので、自身と比べてシビアに評価する人もいるでしょう。

● 「好成績」や「スキル・心がまえ」をアピールせよ

　アルバイト経験で高評価を得るためのポイントは2つあります。

❶ 好成績をアピールする

　「高成績」より「好成績」です。**トップでなくても「頑張った」と評価されること**です（例：仕事の速さ、業務改善など）。

❷ スキル・心がまえ

　業務を通して、身につけたスキル、考え方、心がまえなど。入社後の志望職種に関連づけ、役立つことをアピールします。

ハンバーガーショップでアルバイトをしています。私のセール
スポイントは笑顔なので、いつも笑顔での接客を心がけていま
す。先輩や同僚から「話しかけやすい」とか「店内が明るい雰
囲気になる」などといわれ、私自身もうれしくなりました。笑
顔は、自分も他人も幸せにすると実感しています。これからも、
笑顔でたくさんの人を幸せにしていきたいと思います。

ここがNG

✖ アピールポイントがありきたり

「笑顔」は大切ですが、アピールポイントとしてありきたり。職業人とし
て基本的なことなので、高い評価は得にくいと心得ましょう。

✖ 評価に説得力がない

先輩や同僚からほめられたことを書いていますが、責任ある立場の人の言
葉でないと説得力に欠けます。

こう工夫しよう!

◎ 「笑顔」がどう役立ったか、データを添えて説得力を高めまし
た。また、店長から新人指導を任されていることがわかった
ので、それをアピールの材料にしました。「接客トレーナー」
というビジネス用語で表現し、インパクトを高めています。

笑顔で1日200人に接客、新人30人以上をトレーニング

ハンバーガーショップでアルバイトをしています。笑顔で1日
200人に接客。満面の笑みで、もう一品勧めるようにしたところ、
客単価が約10%上がったこともありました。また、笑顔の接客
が店長から認められ、接客トレーナーも任されています。これ
までに30人以上の新人アルバイトを指導しました。

ガクチカ❷
スポーツの経験を
アピールする

スポーツは採用担当者の関心が大きい「ガクチカ」のひとつ。
記録や成績が伴っていなくても、書き方次第で高評価につながります。

●体育会系でなくてもアピールの材料になる

　昔から、「スポーツに取り組んだ学生、特に体育会系運動部は就職で優位」といわれてきました。今もその風潮がないわけではありませんが、かつてほど顕著ではありません。

　とはいえ、スポーツ経験が、採用側に受けのいい「ガクチカ」であることは変わりありません。サークル系のエンジョイスポーツであっても、活動を通して得たこと、学んだことは多いはず。**どんな経験も積極的にアピールの材料にすべき**です。

●成績より「仕事に通じるものを得たか」が重要

　「上位入賞したわけじゃないし」「レギュラーだったわけじゃないし」「おもに裏方だったし」といった理由で、スポーツ経験がありながら、アピールに二の足を踏む学生がいます。関係ありません！スポーツを通じ、**仕事に役立つ「何か」をつかんでいればOK**です。

　たとえば「毎日100回のスクワットで体力づくりに励んだ」。これも立派な実績です。健康第一ですし、仕事は体力勝負になることも少なくないため、身体鍛錬は業務遂行の基礎になります。公式試合の出場機会がなく、裏方がメインだったとしても、「レギュラーメンバーのトレーニングサポートを続けた」「用具のメンテナンスを任された」といったバックアップは、管理業務に通じるはずです。

以下に、スポーツに関連したアピールの例を示しておきます。

中学生から自転車（ロードバイク）に乗り続けて10年になります。「Mt. 富士ヒルクライム」などのレースにも毎年参加するので、毎週末、自宅と学校の往復40kmを走行するなど、練習を欠かしません。

- -

1年おきに開かれる「ちばアクアラインマラソン」への出場を目指して、1年半前から練習を続けてきました。はじめの頃は数分走っただけで息があがり、何度も挫折しかけましたが、今ではフルマラソンを走りきることができます。今秋開催の大会が楽しみです。

- -

7歳からスイミングスクールに通い、4泳法をマスターし、クロールで2000メートルをラクラク泳ぐ体力も身につけました。大学では、学業に力を入れるため、水泳部には入りませんでしたが、体力と健康増進のために、ジムのプールに定期的に通っています。

ポイント

○スポーツの基本は**頑張ったこと**です。地道に頑張ったこと、積極的に頑張ったこと、率先して頑張ったこと……いろいろ考えられます。

野球部で用具管理をしています。けがで試合出場が断たれたときは退部も考えましたが、サポートスタッフに回ることを決意。選手に最良のプレーをしてもらえるよう、コンディションをチェックしています。

- -

テニスサークルの経理係を1年のときから務めています。当初は2年にあがるときに交代するはずでしたが、会費の徴収と管理が厳密で決算報告も早いので、続けてほしいと依願され、今も続けています。

ポイント

○サポートの業務もスポーツのアピール材料になります。管理の仕事は、実際の企業活動でも重要。メンテナンスやマネジメントの能力があることにつながります。

ガクチカ❸
文化活動の経験を
アピールする

文化活動はアピールの〝切り口〟も多種多様。
ただ、評価の主軸が「仕事に通じるか」であることはほかと同様です。

● 文化活動はサークル以外にもいろいろある

　文化系サークルの活動や個人で続ける趣味、習い事、地域活動など、さまざまな文化活動も自己PRに格好のガクチカです。採用側の関心事は、スポーツ同様、**頑張ったことが仕事にどう通じるか**です。

　「頑張ったこと」は、**努力の過程と成果**を示します。資格・免許がある分野なら、その取得が具体的な成果になります。日商簿記などの実務系だけでなく、漢字検定のような知識系資格でもOK。お好み焼き検定のような風変わりな資格も印象に残るでしょう。習い事は発表会・展示会が成果になります。いずれも、**活動を通して学んだことを「仕事にどう活かすか」を考えて記述するのがポイント**です。

● ボランティアの「精神」はあまり評価されない

　文化活動の延長で、ボランティアに取り組む人もいるでしょう。ただ、それを前面に出しても、採用側の好評価は期待できません。取り組み自体は素晴らしくとも、**ボランティアの「奉仕の精神」は、企業活動と噛み合わない**からです。企業活動も社会に貢献していますが、そこには金銭的な見返りが伴います。あまりボランティア精神を強調すると、企業人としてやっていけるか、疑問符をつけられるおそれもあるので注意が必要です。ボランティア活動の経験を書くなら、**仕事に役立つ経験や得たこと**に焦点を当てるのが得策です。

「私、失敗しないので。」（バイオリンに取り組んで15年）

小学1年からバイオリンを15年習いました。先生はとても厳格な方で、厳しく指導されることも珍しくありませんでした。それでも続けてこられたのは、私に負けん気の強さがあったからだと思います。就活を前にやめることを決めましたが、最後の発表会では最高の演奏ができ、あの厳しい先生が涙を流して祝福してくださいました。厳しい指導のもとで頑張ってきたおかげで、どんなに緊張する舞台でも失敗しない精神力が培われました。入社後もこの度胸で仕事をしていきたいと思います。

ポイント

○まずドラマの名セリフに絡めた見出しで目を引いています。リスクをはらんだテクニックですが、内容に説得力があるので、不真面目な印象はありません。取り組みを通して身についた精神力を仕事に活かしていく決意も、きちんと述べています。

「読み聞かせ」を通し、相手の立場で考えることを学ぶ

アナウンス研究会の活動の一環として、子どもたちに本を読み聞かせるボランティアをしています。月1回、図書館を訪ねますが、私のファンになってくれた子もいて、やりがいを感じています。子どもは正直で、つまらなかったり飽きたりすれば聞いてくれません。そのため、声の抑揚やスピードなど、話し方をいろいろ工夫しています。活動を続けてきたおかげで、他人に意図を伝えることの難しさを実感し、相手の立場で考えることを心がけるようになりました。

ポイント

○サークル活動の一環で行っているボランティアに焦点を当てた内容です。具体的な取り組みを示し、何を学んだかを述べています。ボランティアについて述べるときは特に、「精神論ではなく具体例」「抽象概念ではなく実務能力」を心がけましょう。

ガクチカ❹
ゼミの経験を
アピールする

ゼミはグループ活動と捉え、ガクチカに入れます。
研究テーマはもちろん、担った役割も訴求点となります。

● 学業の一環だが、サークル的な要素もある

　理工系の「研究室」やゼミナール（以下、ゼミ）は学業の一環ですが、グループ活動であることや、研究以外の行事（たとえば親睦会や合宿など）もある点で、**サークル的な要素も含んでいる**といえます。

　ESでは、2つの観点からのアプローチが考えられます。**研究に関することと、ゼミ内での役割**についてです。

　研究に関しては、テーマ、研究の方針・手法、その成果、といったことが記述のメインになるでしょう。ただし〔学業欄〕同様、単なる説明に終始したのでは、高い評価が得られません。**研究を通して何を得たか、人間的にどう成長できたか**に触れるのがポイント。**仕事でも通用することに話を展開する**のがベストです。

● ゼミという組織の運営にどう関与したか

　もうひとつの「ゼミ内の役割」は、たとえば、**リーダー（ゼミ長）としてディスカッションの〝議長役〟を担う、自由に意見をいい合える環境づくりに努める**、などが挙げられます。リーダーでなくても、**担当教授の補佐、視察・調査先との交渉役、また〝飲み会〟などレクリエーションの企画係といった役割**など、要は**ゼミの運営にどう関与したか**がアピールできればOK。入社後の仕事は、おもに部署やチームを単位に進められるからです。

水害被災地を現地取材。支援活動も行う

災害社会学ゼミに所属しています。昨年の台風で水害に見舞われた
〇〇県へ行き、被災地と避難所を取材しました。避難をめぐる課題
を探ることが目的でしたが、あまりの衝撃に、ゼミ内で有志を募り、
支援チームを結成しました。そして、5人で再訪、2日間にわたり、
がれき処理をお手伝いしました。その過程で意外な問題もわかり、
ゼミの発表論文に反映させることができました。実際に現地に行き、
自分の目で見て確認することの大切さを知った、貴重な体験です。

ポイント

◎インパクトある見出しが関心を呼びます。内容的にも、迅速な
行動力があること、チームを率いるリーダーシップがあること、
課題を見抜く力があること、現場主義の重要性を実感したこと
をアピールすることに成功しています。

12人が遠慮なく考えを言い合える環境づくりに努める

日本現代史ゼミでリーダーを務めています。研究テーマの内容につ
いてディスカッションで意見が対立し、激しい討論になることもよ
くありますが、それが私的な対立にならないよう、調整することも
私の役割だと思っています。そのため、後輩も臆せずのびのび話
せる環境づくりに努めてきました。教授を交えてカラオケやテニ
スなどのレクリエーションを多く企画しているのもその一環です。
議論は熱く真剣に、普段は仲良く楽しくが当ゼミのモットーです。

ポイント

◎ゼミ内の役割にフォーカスした内容で、全体を統べるリーダー
シップの持ち主であることをアピールしています。ただ、ゼミ
本来の目的である研究テーマについての説明がありません。具
体的に触れるように工夫したいところです。

ガクチカ❺

語学力や留学経験を
アピールする

語学関連は、スコアやレベルなど、取り組みの成果が
如実に現れるほか、習得や努力の過程も評価の対象になりえます。

● レベルだけにこだわる必要はない

　外国語、特に英語力に一定の水準を求める企業が増えています。就活の一環として、英会話教室に通うなど、自主的な外国語学習に取り組む学生も少なくありません。ただ、**語学力は習得レベルだけで評価されるわけではない**ことも知っておいてください。もちろん、学業成績同様、レベルは高いに越したことはありませんし、TOEIC® のスコアによる〝足切り〟を公言する大手企業もあります。

　その一方で、**レベルだけでは測れないこと**もあります。**努力の過程と成果**です。はじめは TOEIC® のスコアが低かったが、勉強法を工夫して取り組んだ結果、高スコアを獲得できた——といった経験は、**仕事の取り組み方にも通じるアピールポイント**になります。

● ほかとひと味違う経験があると◎

　外国語習得のために留学する人もいるでしょう。機会があれば積極的に経験しておいたほうがいいと私は思います。**短期間でも異国で生活した経験は、語学力がつくのはもちろん、就活でも有利にはたらく**でしょう。ただ、留学が特別ではなくなった今、ライバルとの差別化がしにくくなってきているのも事実。留学した事実だけを書いても、多くの経験者のなかに埋没するだけです。ほかとは違う〝プラスα〟を、留学先でつくることが必要です。

私は、海外展開している大手企業を目指す学生には、留学先で下記を実践し、ESや面接で披露するよう勧めています。

❶ 志望企業の現地支社訪問と見学
❷ ライバル企業の現地支社訪問と見学
❸ 志望企業の商品について、現地における広告展開や評判の調査
❹ 競合企業の商品について、現地における広告展開や評判の調査
❺ 志望企業の商品を留学先に持参し、現地の人に感想を聞く

❶は特にお勧めです。日本人社員に取り次いでもらい、入社志望であることを告げ、見学させてもらいます。思うほど難しくありません。語学力向上にもつながります。無理なら❸❹だけでもOK。見聞きするだけですし、旅行時でも可能です。こうした小さな〝プラスα〟でも、あるとないとでは採用担当者の印象は大きく変わります。

　1年間、アメリカへ語学留学しました。4カ国10人の友人をつくって日常的に交流。常にメモ帳を携帯し、わからない単語や表現は、その場で聞いて記録するようにしたところ、1年間で100ページにもなりました。その甲斐あって、留学前に580点だったTOEIC®のスコアを、帰国後に780点まで伸ばすことができました。

- -

　中国に留学した際、日本のコスメが人気なのを知りました。現地の学友に聞くと、貴社とB社で人気を二分しているとのことなので、使用感の違いを聞いたり、広告を比較したりしました。また、貴社の営業所を訪ねてお話をうかがいました。こうした経験から私なりに考えた営業戦略を、ぜひ面接で披露させていただきます。

ポイント

○ 上の例は学習の具体的な方法と成果を数字で示し、説得力をもたせています。下の例は留学先で実行した企業研究に焦点を当てています。採用担当者が関心を寄せる可能性大です。

受かる書き方❶

自己PRで
ほかと差をつける

「志望先企業に役立つ存在」であることをアピールする自己PR欄。
「企業目線」を忘れないようにしましょう。

○「長所」=「他人より勝っていること」ではない

　多くの企業がESに〔あなたの長所を書いてください〕〔自分を
自由にPRしてください〕という項目を設けています。自分がいか
に優れているか、他人よりどう勝っているか、たくさん書きたくな
るところですが、採用担当者は、そんなマウンティングには関心が
ありません。評価の基準はただひとつ。**仕事につながるかどうか**で
す。ESの〔長所を書いてください〕〔自己PRしてください〕は「あ
なたがもっている、仕事に役立つと思う能力・経験・実績などをア
ピールしてください」という意味です。

　逆にいえば、**仕事につながればなんでも長所になる**ということで
もあります。学業、スポーツ、文化活動、アルバイト、なんでも
OK。成績が今ひとつでも、地道な取り組みでもかまいません。

　性格やモットー、日々のルーティーンといったことも、仕事に関
連づければ「長所」としてPRできます。たとえば「笑顔を絶やさ
ない」。あまりにありきたりですが、「初対面でも笑顔で接する」な
ら、営業職の基本に連なる「長所」になります。

　なお、長所は「他人より勝っていることではない」と記しました
が、では他人より勝っていることは自己PRの材料にならないかと
いえば、そんなことはありません。ポイントは他人より勝っている
点を使って、**仕事に関連づける**ことです。

●「自己分析」から始めよう

　自分の「長所」は何か、どんなことが仕事に役立つかを考えるには、**まず「自己分析」をしてみること**です。「自己分析シート」を活用するとわかりやすいでしょう。これについては PART2 で詳しく解説します。また「他己分析シート」を併用すると、客観的な視点が加わるので、より詳しい分析ができます (P.70)。

　以下に「こんなことでも自己 PR できる」という例を紹介します。

> SNS による PR が得意です。所属するダンスサークルの活動を自主的にインスタグラムへ投稿し続けたところ、2500 人のフォロワーを獲得。大学祭のステージへの集客につながり、皆に感謝されました。
>
> --
>
> 新しいことに挑戦することが大好きです。昨年ははじめて東京マラソンに参加しました。フルマラソンも初挑戦です。途中、膝の激痛に見舞われて棄権も考えましたが、6 時間 10 分で走りきりました。
>
> --
>
> アルバイト先のコンビニで、POPづくりを任されています。レイアウトや配色の工夫だけでなく、商品の短い説明を添えるようにしたところ、月間売上 1.3 倍アップに貢献することができました。
>
> --
>
> 私はメモ魔です。メモ帳をポケットに入れ、思いついたこと・気になったことを書くようにしています。おかげでゼミやアルバイトで、忘れ物や大きなミスをしたことはありません。

　採用担当者に**最も「ウケ」がいいのは頑張る姿勢**です。ジャンルは問いません。学業、サークル、アルバイト、習い事、また個人的なことでも、**頑張った過程や成果が「仕事に通じる」**と認められればOK。誰にでも必ずひとつはあるはずです。何が志望先で通用するか「企業目線」で考えてみましょう。

1

これが通過者のエントリーシートだ！

49

受かる書き方❷

クラブ・サークル活動で アピールする

「何に」ではなく「どう」取り組んだか。
単なる活動報告で済まさないための、最大のポイントです。

●「学業以外の活動」のメイン

クラブ活動やサークル活動は、大半の学生にとって学業以外の活動のメイン。**活動にどう取り組んだか（頑張ったか）、自分にとってどうプラスになったか**を、入社後の**仕事に絡めてアピール**します。

Before〈例1〉

> 映画研究会で活動してきました。自分たちでシナリオを書き、演技して撮影します。私はもともと引っ込み思案なので、最初は恥ずかしく、よく NG を出していました。街中の撮影で警官に注意されたこともあります。でも、苦労してつくった動画が、コンテストで銅賞になったときは、みんな大喜びでした。

ここがNG

✖ 映画研究会の単なる「活動報告」にとどまっている
サークル活動が自分にどうプラスに作用したかがわかりません。

こう工夫しよう！

◎ 上の例文では「もともと引っ込み思案」とあるので、今は違うはず。ここに焦点を当ててみました。コンテスト銅賞は大きな実績なので、「みんなで喜んだ」だけではなく、大きくアピールしました。

After

ドラマ制作で積極性と交渉力が身につきました

映画研究会では、自分たちでシナリオを書き、演技し、ドラマ
を撮影します。活動を通して、私は次のことを身につけました。
- 積極性
  100人の前でも堂々と演技できる積極性と度胸が培われた
- 交渉力
  街中の撮影で、警察との交渉や通行人の整理を経験した

3年時に私が撮った作品が「○○映像コンクール」で銅賞に。ドラマ
づくりで培った積極性と交渉力を、仕事にも活かしたいと思います。

Before 〈例2〉

> テニス同好会に所属しています。少人数の和気あいあいとしたサー
> クルで、楽しくプレーすることをモットーにしています。ただ、当
> 学にはテニスのサークルがほかに3つあり、私たちは人数的に負け
> ていたため、昨年の春は私がリードして勧誘活動に力を入れました。
> そのかいあって、20人の新入生を仲間に加えることができました。

ここがNG

✖ テニスサークルの報告では全体的に積極性に欠ける

こう工夫しよう!

◎ 新入生勧誘活動でリーダーシップをとったことをメインにし
ました。入社後の顧客開拓にも通じる取り組みです。

After

新入生勧誘をリード。学内最大のテニスサークルに

当学にはテニスサークルが4つあります。私たちの同好会は規
模が最小で悔しく思っていました。そこで昨春、私が先頭に立っ
て❶チラシ 500 枚配布、❷ポスター 50 枚掲示／大学 SNS 投
稿 30 回、❸ Web 説明会 合計 30 時間の「新勧大作戦」を展開
しました。その結果、例年を上回る 20 人の獲得に成功し、学内
最大規模のテニスサークルになりました。

受かる書き方❸
性格・パーソナリティで
自分をアピールする

性格やパーソナリティ（個人的資質）の自己評価で、
プラス面だけを上手にアピールするテクニックです。

● 直球も変化球も「プラス面」で打ち返す

　性格・パーソナリティについての質問は、ストレートに問われる
場合と変化球の場合がありますが、いずれも自分が**プラスだと思う
面だけ**を具体的に書くことがポイントです。マイナス面を書いても
好評価につながらないのは当然だからです。

　自分のプラス面がわからない人は、**他己分析 (P.70) をしてみて**く
ださい。

●「自分はどんな人間だと思いますか?」など
ストレートに問われるパターン

Before

粘り強い人間です。簡単にやめたりせず、地道に努力を続けます。
難度が高いほど燃えるので、できなかったら理由を何度も考え、
できるようになる方法を工夫します。小学3年生で始めたクラ
シックバレエを現在まで続けてこられたのも、生活スケジュー
ルに組み込み、取り組んできた結果だと自負しています。

ここがNG

✖ 抽象的な言葉が並び、全体的に漠然とした印象
　地道な取り組みや成果に具体性があれば、説得力が加わります。

こう工夫しよう！

◎ 話の重点を、長年取り組んでいるクラシックバレエに置き、パーソナリティを具体的にアピールしました。

After

簡単にはあきらめない努力家（履き潰したシューズ40足）

始めたことは絶対に途中で投げ出さず、粘り強く努力を続けます。クラシックバレエを小学3年生から続けていますが、週4回のレッスンを一度も欠かしたことがありません。これまで履き潰したシューズ（40足）は、すべて部屋の壁にかけて、自分を鼓舞しています。今年のスクール主催の全国コンクールで3位以内に入ることが、私の目標です。

●「自身をひと言で表してください」など変化球のパターン

Before

聞き上手です。

ここがNG

✗ 具体的に伝わってこない
設問どおりに〝ひと言〟だけ答えたのではアピールになりません。

こう工夫しよう！

◎ 採用担当者が期待する回答は「なぜ、そういえるのか」です。自分を客観的に評価できるかどうかが見られます。

After

聞き上手（話し相手から「本音」を引き出す自信あり）

学内誌の編集に3年間携わり、インタビュー取材も多くした経験から、口調や質問の流れを工夫し、相手が気分よく話してくれるよう心がけています。気難しいとウワサされていた〇〇氏の取材では、あとで「つい話しすぎてしまった」といわれました。最高のほめ言葉です。

受かる書き方❹
趣味・特技欄の
上手な書き方

ESに書いて評価される趣味・特技は限られます。
入社後、仕事に活かせる可能性の有無が、判断ポイントです。

○ 内容や巧拙は関係ない

　採用担当者は、応募者の趣味や特技に、レベルの高さは求めていません。チェックしているのは内容や取り組み方。つまり、その趣味・特技から、当人の**仕事への適性が感じられるかどうか**です。

　したがって「読書」「音楽鑑賞」といった平凡な趣味ではアピール力に欠けます。だからといって、宴会芸のような特技では、悪目立ちするだけで不合格となるだけでしょう。

○ アピールポイントは「仕事に活かせるか否か」

　発想を逆転してみましょう。

　自信をもって**仕事に活かせると説明**できれば、平凡な趣味、奇をてらった特技でも、個性ある強力な武器になります。まず、自分の**趣味・特技をリストアップ**してみてください。好きでやっていること、ほかの人より少しでもうまいと自負できること、知識に自信がある分野などを書き出します。ここから、志望先の仕事に少しでも役立つものはないか、掘り下げてみましょう。難しく考える必要はありません。「この知識で新企画を立案する」でもいいのです。

　なお、記載する趣味・特技に、継続年数は関係ありません。極論をいえば、**たった今から始めても OK**。むしろ、志望先に合わせて**新たな趣味を始めるくらいの積極性**がほしいところです。

〔趣味〕読書、ジョギング

〔特技〕インターネットで情報を見つけること

ここがNG

✖ 平凡すぎる

「読書」は大勢の応募者が書いていること。あまりにも平凡です。「ジョギング」は体力をアピールしたつもりでしょうが、どれくらい走れるか（距離、時間など）が不明なので、訴求力はゼロです。

✖ 特技に優位性が見出せない

パソコンやスマホの検索ツールが発達している現在、インターネットから情報を探し出すこと自体、特技といえるとは思えません。また、それが志望する企業でどう活かせるかもわかりません。

こう工夫しよう！

◎ 読む本を応募企業の事業に合わせて具体化しました。ここでは旅行会社志望と仮定し、お城に関する本にしています。「実績」も数値で付記しました。同様に「ジョギング」にも実績を添えました。

◎ 特技は、単なる「検索の達人」ではなく、調べあげた煩雑な内容を整理してまとめる「情報処理力」があることをアピールしました。

〔趣味〕日本の城に関する本を読むこと（高校大学を通じて100冊読破）

ジョギング（毎朝30分。来年、ハーフマラソンに挑戦予定）

〔特技〕インターネットによる情報収集と整理（未知の事柄でも、1時間以内に調べて200字程度にまとめることができます）

受かる書き方❺

免許・資格欄で
優位に立つ！

免許・資格は、もっているライセンスに絡めて
自身の優位性をアピールするための欄です。

● 自分への付加価値と捉える

当然ながら、採用担当者は〔免許・資格〕欄の記載内容も合否の
判定材料にします。それは、免許・資格そのものの内容というより、
それが応募者にどんな〝付加価値〟となっているか、採用したら仕
事にどう役立つ可能性があるか、という視点からの評価です。

採用担当者がチェックするポイントは、おもに２つです。

❶ **実用性**（仕事にどう役立つか）

❷ **取得目的**（なんのために取ったのか）

● 仕事への熱意と学力レベルがわかる！

単に免許・資格の名称だけ書くのではなく、この２点について
端的に**添え書きをする**と、評価は大幅にアップします。

〔免許・資格〕欄の内容は、**熱意や学力レベルのバロメーター**と
しても用いられます。たとえば、金融関係の資格を取得していたら
金融の仕事に対する熱意が高いと評価されるでしょうし、かなり勉
強しないと合格できない高難度の資格をもっている人は、非常に高
い学力の持ち主と評価されます。高レベルで仕事に役立つものだけ
を選び、添え書きも忘れずに。また、仕事に関係ある資格でまだ取
得できていないものがあったら「合格を目指して勉強中」と書き加
えると熱意をアピールできます。

〔免許・資格〕英検３級、普通自動車免許、秘書検定２級、書道
師範資格

ここがNG

✖ 記載する順番を間違えている

この例で最も問題なのは「英検３級」を先頭にもってきていることです。「中学３年生レベル」の難度の低い資格なので、最初に書くには値しません。１級や２級の取得者もいるでしょうし、見劣りして不利になるだけでなく、「なんの努力もしない人」と思われるかも。はじめにネガティブな印象をもたれたら、続く「秘書検定」「書道師範」まで見てもらえません。

こう工夫しよう！

◎ せっかく「書道師範」という、もっている人の少なそうな素晴らしい資格があるので、これを先頭にしました。続いて「秘書検定２級」「普通自動車免許」とし、「英検３級」は省きました。**レベルが高い資格から書き、仕事に役立つ資格に絞ったわけ**です。

◎ 併せて、**資格の実用性を書き添え**、アピール力を高めました。取得を目指して現在勉強中の資格があることも書き加え、印象を強めました。

After

〔免許・資格〕書道師範資格（きれいな字でお客様の心をつかみます）

　　　　　　　秘書検定２級（ビジネスマナーの基本を学びました）

　　　　　　　普通自動車免許（アルバイト先で運転を任されています）

※入社後に仕事で活かすため、現在、簿記検定２級取得を目指して勉強中です。

受かる書き方❻
仕事をするうえで大切なこと

この質問には、2つの意味があります。
「一般的に見て大切なこと」と「その企業にとって大切なこと」です。

○ 一般的に見て大切なこと

「一般的に見て仕事をするうえで大切なこと」とは、**「社会常識」**のこと。遅刻をしない、ウソをつかない、ホウ・レン・ソウ（報告・連絡・相談）を欠かさないなど、いわば「当たり前のこと」です。

それだけに、「時間に遅れないことです」とだけ書いたのでは、失笑を買うだけですが、「当たり前のことを守る大切さを肝に銘じて仕事に従事したい」と書けば、印象はガラリと変わります。

○ その企業で仕事をするうえで「大切なこと」

一方、「その企業で仕事をするうえで大切なこと」とは、**その企業の理念や方針にもとづきます。**つまり〔仕事をするうえで大切なことは？〕の前に、「当社で」という語が省略されているわけです。

この質問の真意は、志望者が考える就業観と企業の理念・方針がマッチしているかを見きわめることです。

2つの「大切なこと」のうち、どちらを書くべきかといえば、絶対に後者です。企業は**自社に貢献する人を求めている**ことを忘れずに。

この質問の回答には、次の項目は要チェック。企業研究が必須です。

①企業理念、②社長の言葉、③売上高・資本金、④中長期経営計画、⑤新事業、⑥定番商品・新商品、⑦社史・創業者

Before

〔仕事をするうえで大切なことはなんだと思いますか?〕
楽しく仕事することです。ゲームを制作しているのですから、何よりも自分自身が仕事を楽しめなければ、スムーズに進捗しませんし、クオリティも下がると思います。明るい環境で、みんな仲良く、そのためにコミュニケーションを重視して仕事に取り組みたいです。

ここがNG

✖ 一般にいう「就業観」とは乖離(かいり)している

どちらかといえば個人のポリシー。会社にどう貢献する意思があるのか、不明です。

こう工夫しよう!

◎ 志望先の事業計画をチェックしてスローガンを確認し、それを〝核〟とする構成に変更しました。

結果、〈Before〉の個人的なポリシーから離れつつも、自身の考えを盛り込み、独自性を出すことができました。

After

〔仕事をするうえで大切なことはなんだと思いますか?〕
ユーザーのどんなに小さな意見もすくい上げることだと思います。ゲームはすでに若者だけの楽しみではなくなりましたが、シニア世代の意見が反映されているかは疑問です。貴社の事業計画には「全世代のためのゲーム企業を目指す」とあります。私は入社したら、シニアの小さな意見も拾うしくみをつくり、貢献したいと考えます。

受かる書き方 ❼
入社後に
実現したい「夢」

入社志望の企業で、取り組んでみたい仕事や実現したい夢が
あるはず。その夢に、「現実性」をもたせましょう。

●「夢」とは「夢物語」のことではない

〔当社で実現したいことは？〕や〔あなたの夢は？〕といった設
問が非常によく見られます。〔当社でやってみたい仕事は？〕とい
う質問の変形と見ることもできるでしょう。

まず注意したいのは、その「夢」に実現の可能性があるかどうか
です。いくら「夢」とはいえ、「月面に支社を開設したい」といっ
た非現実的なことを書いたのでは、失笑を買うだけです。

採用側が望むのは、志望者の仕事に対する意欲、描く目標や将来
像が、自社の方針に合致し、事業拡大や企業価値向上に役立つか、
つまり、ビジネスの戦力として迎えるに値するかです。

●まず「企業側が描いている夢」を確認する

逆にいえば、一見「大言壮語」に思えても、長期的には自社の事
業展開と整合性が高く、実現の可能性がゼロではないと判断されれ
ば、好評価を得られる可能性があります。では、志望先の事業との
整合を図るにはどうしたらいいか……企業研究に尽きます。

多くの場合、企業のホームページには、中長期的な事業計画が掲
載されています。これにもとづいて「夢」を設定する、あるいはもっ
ていた「夢」をマッチさせる、といった方法をとると良いでしょう。
つまり、まず「企業側が描いている夢」をチェックすることです。

〔あなたが当社で実現したい夢はなんですか?〕

新しいスマートフォンの開発です。今のスマホは万人のための情報端末になっていません。私は高齢者もとまどうことなく使え、目や耳が不自由な人にも優しい、これまでの概念を覆す情報端末をつくりたいと考えます。情報格差のない社会が私の究極の「夢」です。

ここがNG

❌ 個人的な願望に終始してしまっている

フィーチャーフォン(いわゆるガラケー)の使用率については、**数値で具体的に論じたい**ところです。そして「夢」の実現のために、なぜその企業に入ることが必要か、**志望動機を明示する**ことが重要です。

こう工夫しよう!

◎ 数値データを示すこと、「夢」の内容を説明することでより具体的に。また、志望先の事業計画に触れて企業研究をしていること、事業に参画したい旨を伝え、入社への意欲を示しました。

〔あなたが当社で実現したい夢はなんですか?〕

誰もが使えるスマートフォンを開発し、情報格差を解消させる

スマートフォンは年々普及していますが、従来型のフィーチャーフォンの使用も根強く、70歳以上の単身世帯では約40%に上るといいます(内閣府調査)。これでは高齢者が情報網からこぼれ落ちるばかりです。私は、誰にも使いやすい、新しい概念のインターフェースを備えた情報端末をつくりたいと考えます。貴社は今後も、海外メーカーには真似できない、独自機能を備えたスマホの開発を続ける計画があると知りました。ぜひ私にも事業の一翼を担わせてください。

受かる書き方❽
協力して
成し遂げたこと

チームワークについての質問ですが、ポイントは2つ。
「チームのなかでの役割」と「リーダーシップ」です。

○「何を成し遂げたか」ではなく「どう貢献したか」

チームワークに関する質問は、業界を問わず頻出されます。金融、製造、航空、流通では、特に多く出される傾向にあります。企業は集団なので、チームワークがすべての基本。**チームで仕事をする能力の有無**が関心事になるのは当然でしょう。

〔協力して成し遂げたことはありますか？〕という質問の目的は、「何を成し遂げたか」ではなく、**「チーム内でどんな役割を担ったか」**、つまり**「成し遂げるためにどう貢献したか」**を見ることです。したがってチーム内の「役職」は基本的に同格で、会計係でも渉外担当でも、あるいは〝ヒラ〟であっても、評価にはほとんど関係しません。

○リーダーには「リーダーシップ」が求められる

ただし、**中心的な立場**（リーダー、部長、代表、キャプテン、主将、委員長など）だけは、ほかとは違う評価がされます。指導的立場としての役割、つまり**リーダーシップ能力**が、評価の対象に加わるからです。企業内では基本的に、各部署の長が仕事の進捗を管理・制御し、また責任を負います。リーダーシップを発揮した具体的な事例は、大きなアピールポイントになります。

クラスやゼミ、サークル、バイト先のほか、2～3人程度の小グループや、右の例文のように期間が限定された集団行動でも OK です。

Before

〔協力して成し遂げたことはありますか？〕
高校の同級生12人での海外旅行です。今はみんな大学が別々で、遠く離れて暮らしている人もいますが、同窓会で久しぶりに会ったときにグアム島旅行へ行くことになり、みんなで役割を分担して準備を進めました。普段会わないので成功するか心配でしたが、LINEで連絡を取り合って、当日は全員がグアム空港に現地集合。無事、3泊4日の旅を楽しむことができました。

ここがNG

✖ 事実を記述しただけになってしまっている

グループのなかでどんな役割を担ったのか、どんな苦労があったか、経験を通して何を学んだかがわかりません。

こう工夫しよう！

◎ 計画のなかで自分が担った役割を示し、内容をより具体的に明示しました。この経験を仕事にどうつなげるかが書ければ、より良くなります。

After

〔協力して成し遂げたことはありますか？〕
高校の仲間との旅行で、ツアーコンダクターを務めました
高校の同級生12人でグアム島旅行を成功させたことです。みんなで役割を分担し、私は旅程の計画・管理や宿泊の予約などを行う、ツアーコンダクターを務めました。今は全員違う大学に通っており、住んでいる場所も離れていたため、調整が不安でした。そのためオンラインで行程チェックリストをつくり、進捗状況を細かく管理した結果、1.すべてのトラブル回避、2.全員が楽しめる行事の実施、3.無事帰国を達成しました。

受かる書き方❾

「最近関心のあること」を
聞かれたら

漠然としたテーマですが、何を書いてもいいというわけではありません。
期待される内容はある程度決まっています。

○ 仕事・業界に関係する内容が期待されている

次の〔Before〕は、どこに問題があるのでしょうか。

Before

〔最近関心があるニュース・出来事はなんですか？〕
日本の人口減少です。過疎化、労働力不足、経済成長の鈍化など、多くの社会問題を引き起こしているにも関わらず、政府が長年に渡り、有効な対策を打ち出していないことは大問題です。

　社会的にも関心が高いことは確かですが、あまりふさわしい内容とはいえません。なぜでしょうか。

　この設問は、幅広い内容を求めているように見えて、実は採用側が期待する内容は、ほぼ決まっています。自社の**事業に関係することや、業界に関係する話題・出来事**なのです。

　したがって、あまり政治的・社会的な話題や、逆に個人的な嗜好にかたよった内容だと、早々にはじかれるおそれがあります。

　もちろん、志望する業種によっては、その限りではありません。上の例も、報道機関や出版社なら違ってくるでしょうし、たとえば、俗に〝オタク的〟と揶揄されるような趣味に関する話題も、玩具メーカーやゲーム業界なら、プラスに作用する可能性があります。要は、**仕事に結びつけて論じられているかどうか**がポイントなのです。

〔最近関心があるニュース・出来事はなんですか？〕
日本の人口減少です。これによって、日本企業の海外市場進出は喫緊の課題となっています。よって、私は海外部門で活躍できる人材になれるように語学の鍛錬に力を入れています。

ポイント

○人の「関心事」はひとつとは限りません。思い入れが強くても、個人的嗜好によることは避け、**志望業界に関係があるテーマを選ぶ**のもひとつの手段。たとえば、人口減少といった社会性が強いテーマでも、「海外部門で活躍できる人材になれるように語学の鍛錬に力を入れています」といった**仕事に対する高い意欲**が感じられることを書くと合格評価が得られます。

After

〔最近関心があるニュース・出来事はなんですか？〕
日本の人口減少です。これによって、日本企業の海外市場進出は喫緊の課題となっています。貴社におかれましても、経営計画 P17 に海外売上高比率を現在の 12％ から、5 年後には 30％、10 年後には 60％ にすることが目標として掲げられています。私は、貴社が重視するアジアエリアのなかでも、とりわけベトナム市場の開拓で貢献できる社員になりたいと思っています。

ポイント

○志望企業の仕事に関連づけて、志望熱意が伝わるように書いた例。志望企業の **IR 情報（経営計画、アニュアルレポート、プレスリリース等）からのデータを根拠として書く**と説得力が増します。最後の一文は、**してもらいたい質問の誘導**。面接に進んだら「なぜベトナムか」を聞かれるはずです。自信をもって明確に答えられるよう、準備しておく必要があります。

受かる書き方 ⓾

短所を聞かれたときの 答え方

「性格・パーソナリティ」に関する質問の変形です。
ただ、短所をそのまま書いては、自己PRになりません。

●「マイナス」を「プラス」に転換する

　性格・パーソナリティのページで述べたように、人にプラス面とマイナス面があるのは当たり前です。人生の先輩である採用担当者には、先刻ご承知のこと。そのうえで短所を問うのは、**自分を客観的に評価できるか、マイナス面を克服しようとする向上心があるか**、それを**仕事へ向ける意欲があるか**、といったことを見きわめたいからです。

　したがって、短所だけを書いたのでは向上心が感じられず、高評価を得られません。**短所をバネにして長所への転換に成功した経験**、さらに**それを仕事に活かす決意**が書ければ申し分ないでしょう。

Before

〔あなたの短所はなんですか？〕

完璧主義すぎるところです。何事も自分が納得しないと気が済まず、それで時間がかかってしまうこともしばしばです。ゼミで配布する重要な資料の作成を任されたときは、仕上がりが気に入らなくて何度もつくり直した結果、開始に大遅刻して迷惑をかけました。ただ、いつも丁寧でミスがない点はまわりの人から称賛されています。

ここがNG

✘ 事実を書いているだけ
　締めの文は「言い訳」にも読め、「欠点を直そう」という向上心も感じら

れません。「まわりからの称賛」も、実は皮肉かもしれず、当人だけが気づいていないのでは?　という疑念をもたれかねません。

こう工夫しよう!

◎ 過度な完璧主義は実務の支障になりえます。いくら丁寧でも、時間のかけすぎは他部署に迷惑がかかるので、当人が思うほど周囲は評価しません。まずそれを自覚したうえで、どう克服に取り組むか(取り組んだか)を考えてアピールしました。

〔あなたの短所はなんですか?〕
過度な完璧主義(スケジュール管理力を高めて克服)
何ごとも 100%でないと気が済まず、頼まれたことも時間がかかって、よく迷惑をかけました。そこで次の決まりを自分に課しました。
❶ **作業全体にかける時間を決める。**
❷ **その8割の時間で終わるようにスケジュールを立てる。**
❸ **終わらなかったら、残り2割の「予備時間」を使う。**
❹ **予備時間が過ぎたら、必ず「完了」にする。**
これにより、質を大きく落とすことなく、自分も納得できる範囲で作業を進められるようになりました。この経験を踏まえ、入社した暁には、スケジュールをしっかり管理して業務に取り組みます。

ポイント

○ 仕事に求められるスキルを理解し、その能力をもっているか、不足しているなら獲得に動く向上心があるかといったことを知るのが、短所に関する質問の真意です。なので、「貴社の仕事で活躍するには〇〇のスキルが足りないことが短所。卒業までに△△の努力をして高める」という書き方が高評価を得ます。

受かる書き方⓫

失敗・挫折…。
乗り越えた困難から得た教訓

採用担当者が最も関心を寄せる頻出質問。仕事は失敗の連続。
打たれ強く、リカバリーに長けた人材が求められます。

● 失敗・挫折から何を学び、どうリカバリーしたか

　一度も失敗や挫折の経験がない人が、もしいたとしても、企業は絶対に高く評価はしません。ビジネスに失敗はつきもの。**失敗を糧に成功へ導く力をもった人**が求められるのです。

　そのため、この種の質問に期待される回答は、失敗・挫折の内容説明ではなく、そこから**どうリカバリーしたか**ということです。

　回答を組み立てるうえでのポイントは３つあります。

　① どんな失敗か …… 目標が高いと好評価の可能性大

　② どう反省したか …… 何を学んだか明確にすることが大切

　③ どのような対策をとったか …… ここが最も重要

　リベンジした結果が「成功」なら、まさに「完璧」です。

●「落ちた企業は?」という質問にはどう答える?

　就活シーズンも後半になると、〔不合格になった企業はほかにありますか?〕と聞かれる場合が出てきます。面接で多い質問ですが、エントリーシートで聞かれる可能性もあるので油断できません。よく「正直に答えていいのか」と聞かれますが、落ちた原因を緻密に分析し、きちんと修正して応募している場合は、正直に答えてかまいません。PDCA サイクル（計画→実行→点検・評価→改善。P.22）を回すことができ、リカバリー力が高い人物としてむしろ高評価を得ます。

〔今までの人生で最大の失敗はなんですか？〕

アルバイト先のレストランで、お客様を怒らせてしまったことです。注文を受けたあと、ほかのお客様に対応していて気をとられ、厨房に伝えるのをすっかり忘れてしまいました。そのため20分もお待たせしてしまい、そのお客様と店長から強く叱責されました。混雑していたとはいえ、完全に私のミスで、深く反省しました。

ここがNG

✖ **失敗の経緯を記述しただけになってしまっている**

知りたいのは反省の内容です。失敗から何を学び、どんな対策をとったかが重要です。

こう工夫しよう！

◎ 失敗から何を学んだか、どう改善したか、その結果どうなったか、順を追って説明する構成に変えました。題材としてはややインパクトに欠けるので、仕事に向き合う真剣さを伝える内容にしています。

〔今までの人生で最大の失敗はなんですか？〕

注文を伝え忘れて大失敗 （→いつでも確認する術を身につける）

アルバイト先のレストランで、お客様の注文を厨房に伝え忘れ、そのお客様と店長から強く叱責されたことがあります。この失敗から、どんな状況でも何をすべきか確認することが大切と悟り、頼まれたことを忘れない方法を工夫しました。それは、メモをとること。用件がひとつ終わるごとに、胸に手を当てて反省をすることです。単純ですが、これをするようになってから、失敗がなくなりました。

就活生

書くことがありません。
何を書いたらいいのでしょう？

坂本先生

「他己分析」をしてみましょう。

● ないならつくる

「書くことがない」は非常によく聞く悩みです。いわば、お客さんが「売ってくれ」といっているのに、その品がどこにあるか見えていない状態。当人にとっては、他人が思う以上に深刻な悩みです。まず、**ないならつくる**という手があります。「免許・資格」に書くものがないなら、何か取得してみてはいかがでしょう。時間的に十分な余裕があることが前提ですが、取得まで頑張った過程は、自己PRにもつながるはずです。もちろん、なぜその免許・資格を取得しようと思ったか、動機・目的は明確にしておく必要はあります。

● 他人の目を使って分析してみる

最も多いのは「自己PR」に悩むケースです。「私にはアピールできる長所がない」「頑張って取り組んだこともない」といった声をよく聞きますが、単に**気がついていないだけです**。

基本は**自己分析**をしてみることです。PART2で詳述しますが、いわば「これまでの人生の棚卸し」です。もうひとつ、他人に評価してもらう方法があります。これを私は**他己分析**と呼んでいます。

●他己分析の方法

　他己分析の方法は簡単。用紙を友人・知人に渡し、自分の長所を3つ書いてもらうだけです。下のようなチェックシートをつくっても良いでしょう。10人で、のべ30の長所を指摘してもらえます。

　他己分析は、自分では思いもよらなかった面を認識したり、自分と他人の「評価のズレ」を確認してひとりよがりな自己分析から脱却できたりと、非常に役に立ちます。「自分をこんなふうに見てくれていたのか」という感動もあります。ぜひ実践してみてください。

私〔　　　　　　　　〕の長所ベスト3に〇をつけ、その根拠（具体例・データ）を書いてください。よろしくお願いします。
※罫線は気にせず、ほかの項目部分にまたがって書いても大丈夫です。

記入者〔　　　　　　　　　　〕

〇	長所	根拠（長所が発揮された具体例・データ）	〇	長所	根拠（長所が発揮された具体例・データ）
	1. 粘り強さ			17. 情報発信力	
	2. 向上心			18. 論理的思考力	
	3. 責任感			19. 目標設定力・達成力	
	4. 誠実さ			20. 企画力・発想力	
	5. 笑顔			21. 創意工夫力	
	6. 気配り・思いやり			22. ミス防止力	
	7. 協調性			23. 効率向上力	
	8. 社交性			24. 逆境克服力	
	9. 度胸			25. トラブル解決力	
	10. チャレンジ精神			26. 短所改善力	
	11. 体力			27. 異文化コミュニケーション力	
	12. 自発的行動力			28. PCソフト／IT活用力	
	13. 自制心・自己管理力			29. プレゼンテーション力	
	14. タイムマネジメント能力			30. リーダーシップ力	
	15. 人を巻き込む力			※その他（　　　　　　　　　　　　　）	
	16. 情報収集力				

よくある質問❷

就活生

〔自由記入欄〕には、
何を書いたらいいのでしょう？

坂本先生

特に強くアピールしたいことを書きます。

● 採用側が〔自由記入欄〕を設ける理由

　〔自由記入欄〕や補足スペースを設け、その記述内容を規定項目と同等に重視している企業は少なくありません。そこに応募者のパーソナリティが如実に反映されると見ているからです。

　既定の項目は、企業が応募者に求める基本条件を比較・評価するためにあるので、記述がパターン化しやすく、おのおのの個性が表れにくい側面があります。ちなみに、本書を含む就活参考書の「お手本」をそのまま書き写しても、担当者には〝お見通し〟なので要注意です。

　そこで「制限」を外して自由に書いてもらうことで「応募者の〝素の部分〟を見よう」というのが〔自由記入欄〕の目的です。ということは、この欄はいわば**熱意のバロメーター**となりえます。間違っても「特になし」などと書かないこと。自信のあること、〝自分らしさ〟を発揮できることを存分にアピールしてください。

● 書き足りなかったことを 補強 する

　『OpenES』のような汎用エントリーシートは別として、原則的に
ESには各社共通の定型がありません。そのため、A社のESにある
〔項目A〕がB社のESにはない、という場合もあるでしょう。で
も自分は〔項目A〕でアピールしたい——そんなとき、B社のES
に〔自由記入欄〕があったら、そちらに書きましょう。既定欄のスペー
スが小さくて十分に書けなかった場合、〔自由記入欄〕で補足したり、
さらに詳しく書いて強調したり、といった使い方も可能です。

● ビジュアル素材を使って 印象 づける

　ビジュアル素材の使用も、大変効果的です。写真によるアピール
は放送局のアナウンサー職採用などで行われてきましたが、ほかの
業種・職種にも広がっています。「必須」にしている企業もあります。
絵が得意な人はイラストを使っても良いでしょう。ただ、ビジュア
ル素材は、パーソナリティを強くアピールできる反面、あまり突飛
だと、かえって印象を悪くしてしまうので注意が必要です。

〔写真やイラストを使った事例〕

就活生

Q

「ほかにどのような企業を
受けていますか？」という質問には、
正直に答えていいのでしょうか？

A

坂本先生

かまいません。
ただし、同業種、同程度規模の企業に
絞って答えるようにしましょう。

● 他社受験について聞いてくる理由

　他社の受験状況は面接でよく質問されますが、ES で問われる場合もあります。面接に進めば、さらに突っ込んで聞かれるはず。いずれにしろ、回答しづらいことは確かでしょう。

　この設問の目的は、応募者の**真剣度**を見ることです。入社への真剣度というより、**業界への真剣度**を測る要素が大きいのです。

　「貴社が第一志望です」は就活の定番フレーズですが、言葉どおりに受け取る採用担当者はまずいません。**業界を研究して各社を比較・検討し、志望先に順位をつけている**のが当然だからです。

　本気でその業界を目指しているなら、**志望先もそれなりの数に**なっているはず。したがって、他社も受ける予定であることは、正直に伝えてかまいません。ただし**「伝え方」**があります。右ページの例を参考にしてください。

〔ほかに志望している会社はどこですか？〕という問いの回答です。地方銀行・第二地方銀行の志望を想定して検討してみましょう。

これは**NG**

　　　貴社だけです。

　「そんなわけがない」と思われてしまいます。もしそのとおりだとしたら「真剣さが足りない」と一蹴されてしまいます。

これは**NG**

　　　三井住友銀行、味の素、イオン、JR東日本

　業種がばらばらで一貫性がありません。志望を絞り切れていないと見なされ、これも「真剣さに欠ける」と評価されてしまいます。

これは**NG**

　　　三井住友銀行、千葉銀行、千葉信用金庫、君津信用組合

　「業界研究が足りない」と判断されるラインアップです。同じ業種でも、規模、事業の目的などが異なることを理解していないと思われます。メガバンクの採用担当者が見たら「ウチは記念受験か？」と「真剣さ」を疑われる可能性もあります。

これなら**OK**

　　　千葉銀行、横浜銀行、常陽銀行、京葉銀行

　規模が同程度で営業エリアも似かよった企業が並んでいます。業界の理解と入社への「真剣さ」が感じられ、地銀や第二地銀の採用担当者は、少なくともこれだけで落とすことはないでしょう。
　同じ業種で同程度の規模の企業を答えるのがポイントです。

column2

「思いがけないこと」も
高評価につながる

　PART1 の「よくある質問」で述べたように、「誇れる実績がない」という人は、自分が気づいていないだけです。自己分析・他己分析をすれば、訴求点は必ず見つかります。

　ある学生は、学業のほかにバイトをしていましたが、その経験のどこがアピールにつながるのか、自信がもてない様子でした。そこで、次の4つについて考えてもらいました。

　「売上アップに貢献した経験はないか」「売上や集客、準備作業、片づけ、清掃などで目標を達成した経験はないか」「正確な仕事をするうえで重要だと思ったこと(知識・知恵)は何か」「明るさ、真面目さ、責任感の強さ、忍耐力があることがわかる具体例はないか」。

　すると後日、次のように書いてきました。

　「自分が書いた POP でカレーパンの売上が2倍になったことがある」「商品準備の作業手順を工夫したら、半分の時間で終えられるようになった」「こまめにメモをとることで、ミスをしなくなった」「無遅刻・無欠勤を続けている」「8時間立ちっぱなしでも、笑顔で接客した」

　志望企業(大手化粧品会社)について研究すると、販売店の売上アップに力を入れていることがわかったので、手書き POP の話をメインにして、自己PR文を組み立てるようアドバイスしたところ、見事内定を獲得しました。自分では「たいしたことではない」と思っていた経験が、内定獲得につながるアピールポイントになった好例です。

エントリーシートにも
自己PR動画にも役立つ自己分析

「受かるエントリーシート」を完成させるためには、
しっかりとした自己分析が必要です。
しかし、自分がどういう人間なのか、何を頑張り、
どんなものが得意なのか、案外、わかっていないもの。
自分に合う企業を見つけ、その企業に
就職するための自己分析を行いましょう。

自己分析の方法
自己分析シート
○つけ方式／書き足し方式

ESに書くアピールポイントを見つけましょう。
自己分析できるフォーマットを紹介します。

●〔自己分析シート〕で自分の"ウリ"を探る

まず、右ページの【自己分析シート】に記入してみてください。表になっていますが、罫線や字数は無視してもかまいません。

見てわかるように、フォーマットは、PART1の〔よくある質問❶：書くことがありません〕（P.70〜71）で紹介した【他己分析シート】と同じです。つまり、【自己分析シート】への記入と併せて、家族や友人に〔他己分析シート〕への記入を依頼すると、**主観と客観の両方から分析できる**ということになり、非常に効果的です。

●〔○つけ方式〕で希望職種との マッチング を探る

次に、職種ごとに求められる能力・素質をチェックしていきます。現在の自分が、希望する職種に求められる能力・資質を備えているかどうか、確認できます。これを【○つけ方式】（P.80〜95）と呼んでいます。結果が期待どおりでなくても、落胆する必要はありません。**不足している能力は、意識して伸ばしていきましょう。**

●〔書き足し方式〕でアピールポイントを探る

自己PR文に書く具体的な内容は【書き足し方式】（P.96〜117）のフォーマットに実際に記入して探っていきましょう。テーマごとに分けてありますが、本書にないテーマにも応用することができます。

【自己分析シート】

あなたが思う「自分の長所」のベスト3に〇をつけ、その根拠（具体例・データ）を書いてください。罫線は気にせず、ほかの項目部分にまたがって書いてもかまいません。

〇	長所	根拠（長所が発揮された具体例・データ）
	1. 粘り強さ	
	2. 向上心	
	3. 責任感	
	4. 誠実さ	
	5. 笑顔	
	6. 気配り・思いやり	
	7. 協調性	
	8. 社交性	
	9. 度胸	
	10. チャレンジ精神	
	11. 体力	
	12. 自発的行動力	
	13. 自制心・自己管理力	
	14. タイムマネジメント力	
	15. 人を巻き込む力	
	16. 情報収集力	
	17. 情報発信力	
	18. 論理的思考力	
	19. 目標設定力・達成力	
	20. 企画力・発想力	
	21. 創意工夫力	
	22. ミス防止力	
	23. 効率向上力	
	24. 逆境克服力	
	25. トラブル解決力	
	26. 短所改善力	
	27. 異文化コミュニケーション力	
	28. PCソフト／IT活用力	
	29. プレゼンテーション力	
	30. リーダーシップ力	

※その他（

）

○つけ方式❶

各職種で
求められる素質

各職種に求められる素質を確認します。現在の自分に
当てはまるかチェックし、自己PR文のベースにします。

● 求められる能力・素質を測る

　職種にはいろいろな種類があり、それぞれに求められる能力・素質があります。たとえば、営業職は人との交流が好きなタイプには向いていますが、人見知りには不向きかもしれません。

　とはいえ、業務能力・素質のレベルを測るのは、難しい面があります。同じように社交性のある２人が同時に営業職に就いたとして、成績に大差がつくことはよくあります。社交性以外の素質が影響しているからです。そのため、能力・素質を測る「基準」があれば、現在のレベルがわかり、スキルアップの目標にすることもできます。

● 〔○つけ方式〕の原理

　職種ごとに求められる能力・素質の「基準」は、実はすでに存在し、社員教育や能力開発、人事評価などで盛んに利用されています。本書の〔○つけ方式〕は、各職種に求められる能力や素質の基準を、自己分析に応用するものです。入社後に必要となる能力・資質が、現在の自分にあるかどうかをチェックし、あればそれをアピールポイントの候補に、なければレベルアップの目標にします。

　〔○つけ方式〕に用いるチェック表は、厚生労働省による「評価ガイドライン」をベースに作成しました。右ページの表は、全職種に共通の基準です。まずこれをチェックしてみてください。

能力・素質	職務遂行の基準	○
働く意識と取り組み 職業意識・勤労観をもち 職務に取り組む能力	法令や職場のルール、慣行などを遵守している。	
	出勤時間、約束時間などの定刻前に到着している。	
	上司・先輩などからの業務指示・命令の内容を理解してしたがっている。	
	仕事に対する自身の目的意識や思いをもって取り組んでいる。	
	顧客に納得・満足していただけるよう、仕事に取り組んでいる。	
責任感 社会の一員としての 自覚をもって主体的に 職務を遂行する能力	一度引き受けたことは途中で投げ出さずに、最後までやり遂げている。	
	上司・先輩などの上位者や同僚、顧客などとの約束事は誠実に守っている。	
	必要な手続や手間を省くことなく、決められた手順どおり仕事を進めている。	
	自分が犯した失敗やミスについて、他人に責任を押しつけず自分で受け止めている。	
	次の課題を見据えながら、手がけている仕事に全力で取り組んでいる。	
ビジネスマナー 円滑に職務を遂行する ためにマナーの良い対応 を行う能力	職場において、職務にふさわしい身だしなみを保っている。	
	職場の上位者や同僚などに対し、日常的な挨拶をきちんと行っている。	
	状況に応じて適切な敬語の使い分けをしている。	
	顧客に対し、礼儀正しい対応（お辞儀、挨拶、言葉遣い）をしている。	
	接遇時、訪問時などに基本的なビジネスマナーを実践している。	
コミュニケーション 適切な自己表現・双方向の 意思疎通を図る能力	上司・先輩などの上位者に、正確にホウ・レン・ソウ（報告・連絡・相談）をしている。	
	自分の意見や主張を筋道立てて相手に説明している。	
	相手の心情に配慮し、適切な態度や言葉遣い、姿勢で依頼や折衝をしている。	
	職場の同僚などと本音で話し合える人間関係を構築している。	
	苦手な上司や同僚とも、仕事上支障がないよう、必要な関係を保っている。	
チームワーク 協調性を発揮して 職務を遂行する能力	余裕がある場合には、周囲の忙しそうな人の仕事を手伝っている。	
	チームプレーを行う際には、仲間と仕事や役割を分担して協同で取り組んでいる。	
	周囲の同僚の立場や状況を考えながら、チームプレーを行っている。	
	苦手な同僚、考え方の異なる同僚であっても、協力して仕事を進めている。	
	職場の新人や下位者に対して業務指導や仕事のノウハウ提供をしている。	
チャレンジ意欲 行動力・実行力を発揮して 職務を遂行する能力	仕事を効率的に進められるように、作業の工夫や改善に取り組んでいる。	
	必要性に気づいたら、人に指摘される前に行動に移している。	
	いいと思ったことはどんどん上位者に提案するようにしている。	
	未経験の仕事や難しい仕事でも「やらせてほしい」と自ら申し出ている。	
	新しい仕事に挑戦するため、資格取得や自己啓発などに取り組んでいる。	
考える力 向上心・探求心をもって 課題を発見しながら 職務を遂行する能力	作業や依頼されたことに対して、完成までの見通しを立てて、取りかかっている。	
	新しいことに取り組むときには、手順や必要なことを洗い出している。	
	仕事について工夫や改善を行った内容を再度点検して、さらにいいものにしている。	
	うまくいかない仕事に対しても、原因をつきとめ、再チャレンジしている。	
	不意の問題やトラブルが発生したときに、解決するための対応をとっている。	

○つけ方式❷
営業職志望で
高評価を得る

「営業職」について見ていきましょう。
業種によってもさまざまですが、販売だけが仕事ではありません。

●「売る」だけが営業職ではない

　以下に「営業職全般に求められる基礎能力」と「営業職に求められる具体的なスキル」のチェック表を示しました。この表を見てもわかるとおり、**営業の仕事は販売だけではありません。**顧客や商品の管理など、実に広範囲です。

【営業職全般に求められる基礎能力】

能力・素質	職務遂行の基準	○
営業基礎	営業パーソンの役割を理解し、営業に必要な知識を理解している。	
	営業パーソンに求められる顧客知識、商品知識などの収集や分析を行っている。	
	上司の指示を踏まえ、販売目標の設定や訪問活動などの営業活動計画を立てている。	
	営業事務管理から自社と競合他社の商品知識まで必要な情報を収集・活用している。	
	上司の指示を踏まえ、売上・費用・利益を検討して見積を出している。	
	アプローチ、プレゼンテーション、クロージングなど商談技術の習得および適切な活用に努めている。	
	販売後の納品もクレーム処理、アフターサービスを行っている。	
	基本的な与信管理を徹底し、信用情報の収集に努めている。	
営業事務	営業事務担当者の役割を理解し、営業事務に必要な知識を理解している。	
	担当している商品・製品・サービスに関する知識を収集・保有している。	
	事務処理に必要なOA機器を使いこなすなど営業事務スキルも習得・保有している。	
	事務処理の実施手順や手続、社内手続ルートを正しく回している。	
	締め日、入金予定日など担当している顧客の特性を理解して業務を遂行している。	
	営業担当者とコミュニケーションをとり、連携して業務を遂行している。	
	適切な電話応対を行い、自社のイメージ向上に努めている。	
	自分なりに業務改善・工夫に努め、効率化を図っている。	

もちろん、まだ入社していないので、具体的なイメージがわかない項目もあるでしょう。そこは無理せず、スルーしてかまいません。ただ、アルバイト先や友人とのつき合いのなかで、**ある程度類推できる項目**はあると思います。考えてみてください。

【営業職に求められる具体的なスキル】

能力・素質	職務遂行の基準	○
概念形成力 顧客の解決すべき課題の設計、そのために必要な営業活動を計画することができる。	予測：顧客の市場動向を把握し、自己の2～3年後の売上予測ができ、対応策を適切な時期に立案することができる。	
	顧客分析：収集した顧客情報を分析することにより、今後のアプローチ方法や商談促進の方法を組み立てることができる。	
	仮説設定：収集した情報の分析結果にもとづいて、顧客の真の問題や課題を想定することができる。	
	計画：営業活動にあたり、年間・半期・月間・週間のそれぞれのタームで、販売予測と連動した活動計画をもって動いている。	
関係構築力 顧客と良好な関係をつくり、その関係を維持し続けることができる。	好感度：顧客に信頼を与える第一印象を演出することができ、営業として信頼され好かれているという自信をもっている。	
	会話：顧客の話す内容を理解し、その内容に反応しながら共感的に会話を進めることができる。	
	親和：顧客に親近感を与えることにより、お互いが協力的に取り組もうという姿勢をつくり出すことができる。	
	顧客心理対応：顧客の表情・態度・雰囲気などから相手の心理を読みとり、臨機応変の対応をすることができる。	
顧客把握力 顧客の業容や組織・課題など、担当顧客に関する状況をよく理解している。	顧客理解：顧客を取り巻く環境変化や業績傾向を把握するとともに、特定部門に限らず各部門の状況を把握している。	
	キーマン把握：顧客の社内的な力関係を組織図に沿って把握しており、最終意思決定の存在を把握している。	
	ダミー提案：顧客ニーズを聞き出すのが難しい場合、こちらから提案を投げかけ、相手の反応からニーズのありかを探ることができる。	
	課題把握：商談を通じて、重要な情報と瑣末な情報を区別し、顧客の経営的な視点から課題・ニーズを把握することができる。	
交渉力 営業活動のあらゆる場面で顧客との合意形成を行い、関係する社内外の人間とも合意を得ることができる。	説得：自分たちの営業活動が、顧客の課題解決のためのものであることを理解させ、提案内容の適切さを相手に納得させることができる。	
	折衝：条件的な対立点が発生した場合、譲歩や代替案を提示するなどによって対立点を解消することができる。	
	表現：顧客にわかりやすい文章や口頭表現をすることができるとともに、身振りや手振り、表情などにより相手を引きつけることができる。	
	社内調整：顧客の要望に適切に対応したり、プロポーザル作成にあたって社内関連部署から協力的な支援を受けたりすることができる。	
自律性 営業としての使命を果たすために、自らの行動を、責任をもって遂行することができる。	積極性：営業の使命の理解に立って常に向上心をもち、顧客の課題解決と自己の目標達成に努めている。	
	行動力：顧客訪問を面倒がらず、フットワークが良いこと。考えるばかりではなく、行動が現実的に伴っている。	
	問題意識：所属部署における役割意識を超えて、仕事を自己実現の手段として捉え、数字の目標達成と結びつけて意識している。	
	責任感：自部署における自己の役割と責任を認識するとともに、自分の関与した仕事や顧客に対して最善の結果を出そうとしている。	
知識要件 営業活動を円滑に推進するために必要な知識をもっている。	商品知識：自分の担当する商品領域については、自社・他社を問わず商品概要を確実に把握している。	
	一般知識：世の中の幅広い話題の収集に努め、さまざまな顧客の世間話に話を合わせることができる。	
	競合知識：実際の客先で競合する他社について、相手の活動状況や提案内容を常に把握し、相手の出方を予測することができる。	
	契約知識：あとでトラブルにならないように、契約時に内容を綿密に詰めることができる。	

○つけ方式❸

接客職志望で
高評価を得る

「接客職」も、やはり顧客への直接対応だけが
仕事ではないことを理解しましょう。

◯ 販売業・サービス業における接客職

　以下に店舗販売における接客職の例としてアパレルや小売り販売、サービス業における接客職の例としてホテルやレジャー施設の基準を示します。内容は、一部抜粋していますが、**他業種の接客職で求められる能力も、多くの部分で共通**しています。

【店舗販売における接客】

能力・素質	職務遂行の基準	○
接客の基本	上司の指示のもと、正しい姿勢と動作で接客対応を行っている。	
	上司の指示のもと、担当ブランドにふさわしい服装等の身だしなみを整えている。	
	上司の指示のもと、来店客の様子をつぶさに観察し、タイミングを計って声をかけている。	
	上司の指示のもと、顧客が来店時に手にとる商品や会話から、どのようなアイテムを探しているのかを把握している。	
	上司の指示のもと、担当ブランドの企画コンセプトを理解したうえでコーディネート提案をしている。	
	着心地などを顧客に確認し、補正の必要がある場合には、上司から指示されたとおりに全体のバランスや靴を履いたときの長さなどを計算してピン打ちをしている。	
	商品の包装方法を顧客に確認し、上司から指示されたとおりに迅速、丁寧に商品包装を行っている。	
	上司から指示されたとおりにクレーム内容を記録に残し、関係者にフィードバックしている。	
顧客管理	上司の指示のもと、顧客の好み、要望など接客時の情報を、決められた記入基準にしたがって備考欄（メモ欄）に記入し、店内で共有できるようにしている。	
	上司から指示されたとおりに顧客カードを整理（クリーニング）し、古い顧客、新規顧客の仕分けを行うなど、適切な分類を行っている。	
	上司から指示されたとおりに個々の顧客に合わせたDMを作成し、アプローチを行っている。	
	上司の指示のもと、個人情報保護法の意義、当業界における具体的な留意点について理解したうえで、顧客情報取り扱いに関する会社の規定を遵守している。	
売場づくり	上司の指示のもと、プレゼンテーションを来店客の視点から常にチェックし、位置のずれや展示商品の乱れなどがないよう気を配っている。	
	上司から指示されたとおりに商品の入れ替えに合わせたIP（アイテムプレゼンテーション）や陳列見直しを行っている。	

能力・素質	職務遂行の基準	○
	什器の種類、機能、使い方を理解して、上司から指示されたとおりに適切なアイテム展開・陳列を行っている。	
	上司の指示のもと、開店前に店内を清掃し、開店中も随時、ゴミなどに気を配っている。	
商品管理	上司から指示されたとおりに商品入荷時に商品の数量や品質（汚れ、ほつれなど）の確認を行っている。	
	上司から指示されたとおりに商品入れ替え時等に在庫品の返品作業を行っている。	
	上司から指示されたとおりに欠品がないよう、こまめに商品出しを行っている。	
	上司の指示のもと、定期的に店内在庫の棚卸し、品数点検を行っている。	
	上司から指示されたとおりに客注品をほかの在庫と混同しないよう整理、保管している。	
店頭情報の収集フィードバック	上司の指示のもと、商品企画に有効であると思われる情報項目を自ら考えて検討し、決められた情報以外の収集にも努めている。	
	上司の指示のもと、他スタッフとも意見交換し、有効と思われる情報項目の検討を積極的に行っている。	
	上司の指示のもと、接客で得た商品情報などをストアマネジャー（店長）へ適宜報告している。	
	上司の指示のもと、固定客とは特に密なコミュニケーションを図り、より具体的なニーズを把握している。	

【サービス業における接客（ホテルやレジャー施設を例に）】

能力・素質	職務遂行の基準	○
理念・方針の理解と推進	従業員向けの掲示板やパンフレット、携帯用カードなどに目を通し、理念・方針の理解に努めている。	
	上司や先輩の仕事のしかたから、理念・方針に沿ったふさわしい行動を学びとっている。	
	サービス方針、プライバシー方針などの内容を理解し、これにしたがって適切に行動している。	
おもてなし精神	おもてなし精神の重要性や意義を理解している。	
	日頃から、笑顔での接客を実践している。	
	宿泊客に対し丁寧な言葉遣いで対応している。	
	質問や要望を受けた場合には、謙虚な姿勢で話をよくうかがい、上司に相談したうえで適切に対応している。	
	清潔な髪型や服装など、従業員としてふさわしい身だしなみを整え、仕事に入る前に鏡の前で点検するなど確認を行っている。	
	顧客の感情や要望に気配りし、不満な状態や要望等の雰囲気に気づき、適切に対応している。	
	海外からの宿泊客に対し、状況に即して適切に応対している。	
	お客様から求められた場合には、地域の歴史や地理について、基本的な事項を適切に説明している。	
	クレームやお叱り、ご意見等を受けた場合には、上司への報告・連絡・相談を速やかに行っている。	
	困っていそうなお客様や何か待っている様子のお客様に積極的に声をかけている。	
電話対応	かかってきた電話は速やかにとっている。	
	適切な敬語を用いて、丁寧に電話応対している。	
	各部門の所管事項を把握し、よくある問い合わせについては、速やかに関係部門につないでいる。	
	質問に速やかに対応できるよう、提供サービスの内容や交通アクセスなどの基本事項を勉強し、理解している。	

○つけ方式❹
事務職志望で高評価を得る

「総務」と「経理」について見ていきましょう。
技術的な能力が重視され、関連資格の取得が有利です。

● 企業のコントロールセンターとして重要な役割をもつ

　「総務」「経理」は、いわば企業のコントロールセンターなので、従事する社員に、**技術的な能力を求める**割合が大きくなります。この部門への就業を目指す人は、秘書検定や日商簿記などの資格取得も良いでしょう。総務は企業の〝窓口〟としての役割もあるので、ビジネスパーソンとしての「基本常識」も高評価されます。

【総務】

能力・素質	職務遂行の基準	○
総務業務基礎	報道を通じて、企業倫理、環境保護、地域対応など企業の社会的責任（CSR）関連の動きに関する初歩的事項を把握している。	
	会議の準備・運営に関する事務処理の補助を的確に行っている。	
	上司の指示に沿って議事録の作成などの補助作業を適切に行っている。	
株式業務基礎	株式の種類・内容や株式の発行手続などについて初歩的な事項を正しく理解している。	
	報道を通じて、企業の株主対応や株式総会に関するニュースなどを把握している。	
	上司の指示にしたがい、株主総会の準備等に関する補助的作業を的確に行っている。	
	株主名簿・台帳の作成・管理に関する基本的な事務作業を適切に行っている。	
	インベスター・リレーションズ（IR）に関し、必要な情報収集や資料ファイリングなどの簡単な事務作業を的確に行っている。	
事務処理の情報システム化と文書管理基礎	主要事務機器の種類と特徴、社内LANなど情報処理のシステム化に関する初歩的な事項を正しく理解している。	
	報道を通じて、事務合理化やシステム化の動向などに関する初歩的な事項を把握している。	
	OA機器、通信機器などの基本的な操作方法を習得している。	
	ビジネス文書の種類、構成などについて基本を理解し、定型的なビジネス文書の作成を適切に行っている。	
	文書の保存方法や保存期間について基本的事項を理解し、文書管理をルールに沿って行っている。	

社外対応基礎	受付の基本的態度を身につけ、来訪者に対して失礼のない対応を行っている。	
	電話対応の基本的な態度を身につけ、社外からの電話に対して失礼のない応対を行っている。	
	慶弔や贈答の基礎的事項を理解している。	
秘書業務基礎	組織構造や上司の所管業務内容など秘書業務に必要な初歩的な事項を正しく理解している。	
	意見と事実を区別して上司に正確な情報を伝達している。	
	スケジュール管理のやり方を習得し、誤って予定が重複したりしないよう正確なスケジュール管理を行っている。	
	上司に指示された事項は必ずメモをとり、失念することなく実行している。	

【経理】

能力・素質	職務遂行の基準	○
簿記	借方・貸方・資産・負債・資本・収益・費用など、簿記に必要な基本的事項を理解している。	
	取引の内容を理解し、基本的な取引を仕訳・記帳している。	
	証憑の種類と内容を理解し、ルールに則って保管している。	
	決算整理にあたり、上司の指示を踏まえて商品の棚卸、評価を実施している。	
	決算整理にあたり、上司の指示を踏まえて貸倒引当金、減価償却を処理している。	
	決算整理にあたり、上司の指示を踏まえて経過勘定項目を処理している。	
	精算表について理解し、上司の指示を踏まえて作成の補助を行っている。	
	試算表について理解し、上司の指示を踏まえて作成の補助を行っている。	
財務諸表基礎	財務諸表の種類・内容など、財務諸表の作成に必要な基本的事項を理解している。	
	上司の指示を踏まえて、損益計算書作成の補助的業務を行っている。	
	上司の指示を踏まえて、貸借対照表作成の補助的業務を行っている。	
	上司の指示を踏まえて、株主資本変動計算書作成の補助的業務を行っている。	
	勘定科目と表示科目が異なることを理解し、ルールに則って組み替えを行っている。	
	期間比較、企業間比較など簡単な財務分析を行っている。	
原価計算基礎	工業簿記や原価計算の種類・方法など、原価計算に必要な基本的事項を理解している。	
	購入原価や消費量、期末棚卸高などのデータを確認し、簡単な材料費計算を行っている。	
	支払賃金、消費賃金などのデータを確認し、簡単な労務費計算を行っている。	
	製造間接費を配賦基準にもとづき計算している。	
	製造原価の部門別計算方法を理解し、上司の指示を踏まえて部門別計算を行っている。	
	個別原価計算、総合原価計算方法を理解し、上司の指示を踏まえて製品別原価計算を行っている。	
	原価差異の内容を理解し、財務諸表作成にあたり原価差異を処理している。	
国際会計基礎	国際会計基準など業務に必要な基本的事項を理解している。	
	外国為替取引に関する業務の補助を行っている。	
国際税務基礎	国際税務や業務に必要な基本的事項を理解している。	
	海外事業と国内税制に関する業務の補助を行っている。	
	海外事業と現地税制に関する業務の補助を行っている。	

○つけ方式❺
企画職志望で
高評価を得る

広告・宣伝やマーケティングなどの部門が該当します。
イメージと実際に、かなりギャップのある職種です。

○「売り方」を考える部門

　広告・宣伝部門は、いわば**「どう売るか」**、マーケティング部門
は**「どうすれば売れるか」**を考えるのが仕事です。イメージ先行型
の華やかな世界という印象も根強いのですが、実は理論や情報処理
にきちんと裏打ちされた仕事であることがわかります。

【広告・宣伝部門】

能力・素質	職務遂行の基準	○
広告基礎	広告の機能や役割など基本的な内容を理解している。	
	マーケティング戦略に占める広告の位置づけを理解してプランニングにあたっている。	
	自社の商品やサービスに応じてメディアを自分なりに検討し提案している。	
	異業種とのコラボレーションやタイアップを自分なりに検討している。	
	上司の指示を踏まえて広告の効果測定を実施し、コストパフォーマンスを検証している。	
マーケティング戦略基礎	自社のマーケティング政策やマーケティングの基本的概念を理解している。	
	生産・製品・価格・チャネルなど基本的な市場環境情報を収集・把握している。	
	データ収集、作表などポジショニング分析の補助を行っている。	
	資料収集やデータ整理など、市場の評価・選択のための補助的業務を行っている。	
	経営環境や自社能力などから自社の強み、弱みなどを整理し、必要に応じて自分なりの考えを提言している。	
市場調査購買者行動基礎	マーケティング戦略に占めるマーケティング・リサーチの位置づけ・役割を認識し、マーケティング・リサーチの基本的な内容を理解している。	
	目的に適合した方法を選択してリサーチデータを収集・整理している。	
	購買動機、行動様式やライフスタイルなど消費者行動分析の補助を遂行している。	
	扱っている商品・サービス等に興味をもち、消費者・ユーザーとしての視点をもって検討を進めている。	
	リサーチデータを整理し、必要に応じて関係部署に説明を行うなど、関係部署の業務に活かしている。	

能力・素質	職務遂行の基準	○
マーケティング政策基礎	自社のマーケティング政策やマーケティングの基本的概念を理解している。	
	自社ブランドの構築やイメージ向上策を自分なりに検討し、アイデア出しを行っている。	
	上司の指示を踏まえ、マーケティング・チャネル政策の検討業務を補助している。	
	商品のロジスティクス（輸配送、流通加工）の検討業務を補助している。	
	商品特性（対象顧客、価格帯）に応じた商品パッケージの検討業務を補助している。	
	商品特性を勘案しながらプロモーション政策を検討している。	
流通業・サービス業のマーケティング基礎	流通業・サービス業のマーケティングに関する基本的な内容を理解している。	
	上司の指示を踏まえ、卸売業者のリテール・サポートを検討している。	
	上司の指示を踏まえ、小売業者の形態に応じたマーケティングを的確に検討している。	
	チェーン店の概念を理解し、上司の指示を踏まえて、その特性に応じたマーケティングを検討している。	
	サービス業の業態や特徴を理解し、上司の指示を踏まえて、マーケティングを検討している。	
	定期的にユーザーや店舗を訪問してマーケティングの情報を収集している。	

【イベント業の企画・制作部門】

能力・素質	職務遂行の基準	○
イベントの理解と実践	イベントの定義や自身がかかわるイベントの形態について知っている。	
	自身の業務範囲内でイベントの基本的な構成要素（6W2H　when、where、who、whom、why、what、how、how much）を理解して仕事に取り組むよう努力している。	
	自身がかかわるイベントの効果と役割について上司や先輩に教わったうえで業務に取り組んでいる。	
	イベントの業務知識の習得や業務の流れを覚えることおよび、関係者、協力会社等の情報キャッチに努力している。	
	イベント業界での自社の位置づけを理解している。	
	主催者と来場者のニーズを自分なりに考察している。	
社内外関係者との連携による業務の遂行	「ホウ・レン・ソウ」などのコミュニケーションのとり方を理解し、実施している。	
	何事にも問題意識をもって、上司や先輩および関係者に相談しながら業務に取り組んでいる。	
	社内のルールや社会のモラルにしたがって、進んで業務に取り組み、難しい問題については自分一人で判断せずに、上司に質問しながら業務を遂行している。	
	上司や先輩からの助言と指導をよく聞いて、必要なときには随時確認しながら業務を遂行し、完了後には報告している。	
	自らが仕事のなかで獲得した情報は、必ず同僚や関係者に提供している。	
	挨拶、敬語、ビジネスマナーなどTPOに即した適切な行動をとっている。	
	一方的に話すことなく、相手の立場を尊重し、話をよく聞いている。	
情報収集（企画構築）	自分なりに幅広い分野に興味をもち、イベント関連情報をインターネット等で収集し、リサーチ結果の分析に役立つようにしている。	
	上司や先輩の指示を受けて、既存の調査類例を幅広く収集している。	
	上司や先輩の指示を受けて、市場調査会社など社外関係者の情報の収集・整理を補助している。	
	上司や先輩の指示を受けて、リサーチ企画の実施方法・手順に沿って、リサーチのセッティングを補助している。	
	上司や先輩の指示を受けて、インタビュー、グループインタビューなどのセッティングを補助している。	

○つけ方式❻
技術・研究職志望で高評価を得る

「どんな技能・知識があると有利か」に関心が向きがちですが、
採用側は「それ以外」のことも重視しています。

● 「倫理」や「安全」への理解も求められる

　技術職と研究職は同系統の職種です。技術職は表に立ち、研究職は裏に回ることが多いのが違いともいえるでしょうか。

　どちらも**「倫理」「安全」が密接に関係してくる部門**です。事故を起こしたり倫理に反したりすれば、企業の存続にかかわります。

【技術職・研究職】

能力・素質	職務遂行の基準	○
倫理の遵守	技術者・研究者としての自覚や社会的責任をもって仕事をしている。	
	日常の業務に関連する法的または倫理的な問題について、常に問題意識をもって取り組んでいる。	
	正当な理由なく業務上知りえた秘密をほかに漏らしたり、盗用したりしない。	
	自分の職務や専門分野に関連する時事問題に関心をもち、日頃から問題意識を高めている。	
	自らの専門分野における技術的問題について、それらの研究、または開発によってもたらされる地域社会や生産活動への影響を認識している。	
	技術・研究分野の環境面または法的な時事問題について、自らの仕事に関連づけて理解している。	
	安全・環境の観点から製品の開発・設計に求められる必要最低基準を理解している。	
安全指針に沿った業務遂行	自社および所属部門の安全規程やマニュアル（不文律を含む）を正確に把握し、これを遵守している。	
	職場や現場を整理整頓するなど、危険を誘発する要因の除去を行っている。	
	自身の健康状態を把握し、無理に業務を抱え込むことなく、どこまでできているかを上司に報告・連絡・相談している。	
関係部門との連携による業務の遂行	自部門の業務プロセスの詳細や役割分担を把握している。	
	仕事の進め方にあいまいな点がある場合には、そのまま業務を進めることなく、関係者に質問して疑問点を解決したうえで業務を遂行している。	
	他部門の仕事内容を理解したうえで、質問や助言を求められた際には快く対応している。	

以下は、ウェブ技術者に求められるとされる基本をまとめた表ですが、ほかの技術者、研究者にも準用できます。特に**「セキュリティに関する知識」「法務の知識」には注目**してください。

　近年は情報漏えいが問題になったり、企業が人権侵害で訴えられたりするケースが相次いでいます。技術者、研究者には、以前にも増して、その方面の認識が求められています。そのあたりを理解しておくと "強み" になるでしょう。

【ウェブ技術職】

能力・素質	職務遂行の基準	○
PCの 基本操作	ワープロソフトを用いて基本的な文書を的確に作成している。	
	表計算ソフトを用いて基本的な作表やグラフ作成を的確に行っている。	
	電子メールの活用やインターネットを使った情報検索を支障なく行っている。	
インター ネットに 関する知識	パーソナルコンピュータの基本的な使用方法を理解している。	
	インターネットを利用する際に使用するブラウザやソフトウェアについての概要、特徴をおおむね把握している。	
	ウェブサイト・ウェブコンテンツの種類（掲示板、ブログ、インターネットショッピングなど）をおおむね把握している。	
	各種検索エンジンについての概要を理解している。	
	インターネットを利用したビジネスについての現状をおおむね理解している。	
	コンピュータウイルスや不正アクセスなど、インターネットにおける危機管理の重要性を理解している。	
	上司や先輩の指示にしたがって、インターネットを有効に活用し、必要な情報の取得を行っている。	
	上司や先輩の指示にしたがって、基本的なソフトウェアを使用し、取得した情報などをまとめている。	
	インターネット使用におけるリスクを理解し、上司や先輩の指示にしたがって、注意を払い使用している。	
セキュリティ に関する 知識	情報の漏えい、コンピュータシステムの破壊など各種リスクによって、信用低下、損害賠償などの経営上の損失が発生しうることを理解している。	
	信用取引上の不正、個人情報の漏えい、コンピュータ犯罪やオンライン事故など、情報セキュリティへの危機管理の必要性を理解している。	
	各種事故によって顧客からの信用が損なわれることがないよう、危機管理に対する自覚を徹底している。	
	トラブル発生時の連絡系統など、社内向け危機管理マニュアルを理解している。	
	緊急事態を察知した場合は、速やかに上司に報告したうえで、より詳細な状況把握を行っている。	
	上司や先輩の指示にしたがって、データ管理の方法のルール化、ウイルス対策などの対応を行っている。	
法務の知識	著作権法など版権、肖像権に関する法令の概要を理解している。	
	インターネットやモバイルに関連したトラブルや犯罪の事例について日頃より注意して把握している。	
	ウェブコンテンツ業界を取り巻く各種関係法令の施行や改正が頻繁に行われていることを理解し、その動向に気を配り、情報を入手している。	

○つけ方式❼

コンサルタント職志望で
高評価を得る

コンサルタント自体が商材の企業もあれば、社内管理に従事する職も。
さまざまな制度に精通しておきましょう。

○「制度」を理解していると有利

　いずれも**法律や制度の理解が必須**です。在学中の取得は困難ですが、社会保険労務士、中小企業診断士などの資格があると有利になることがあります。企業研究の際に確認してみましょう。

【財務コンサルタント系】

能力・素質	職務遂行の基準	○
財務基礎	現預金取引の記録・計算、小切手・約束手形の扱いなど必要な基本的事項を理解している。	
	現金の受け払い、収納、支払いや小口現金制度などの出納業務の補助を行っている。	
	預金について理解し、印鑑、通帳を管理するとともに、銀行勘定調整表作成の補助を行っている。	
	手形取引を理解し、上司の指示を踏まえて適正に振出（支払）や受領を行っている。	
	小切手取引を理解し、上司の指示を踏まえて適正に振出（支払）や受領を行っている。	
	信用経済を理解し、売掛金、買掛金や未収金、未払金の管理実務の補助を行っている。	
国際金融・財務基礎	国際金融・財務の内容や業務に必要な基本的事項を理解している。	
	外国為替取引に関する業務の補助を行っている。	
	国際金融・通貨問題の動向について基本的事項を理解している。	
関係部門との連携による業務の遂行	自部門の業務プロセスの詳細や役割分担を把握している。	
	仕事の進め方にあいまいな点がある場合には、そのまま業務を進めることなく、関係者に質問して疑問点を解決したうえで業務を遂行している。	
	他部門の仕事内容を理解したうえで、質問や助言を求められた際には快く対応している。	

【経営コンサルタント系】

能力・素質	職務遂行の基準	○
コンセプト構築	事業に関する自分なりの問題意識や意見、日頃感じること等を上司に提言している。	
	自分なりに工夫しながら情報の収集・分析に取り組んでいる。	
	複数の情報を相互に関連づけ、的確に整理している。	
経営戦略基礎	経営理念、経営環境、企業の社会的責任等を理解している。	
	経営戦略と経営計画の関係を理解し、自社の経営戦略の概要を把握している。	

	経営計画の概要や意義を理解し、中長期計画、年次計画、投資計画等に関する業務の補助を的確に行っている。	
	経営における外部環境分析の重要性について理解し、資料の収集・整理など関連する補助的業務を適切に行っている。	
	経営における内部環境（自社能力、自己資源）分析の重要性について理解し、資料の収集・整理など関連する補助的業務を適切に行っている。	

【人材開発コンサルタント系】

能力・素質	職務遂行の基準	○
人材開発 基礎	社内研修、自己啓発支援策の概要など、会社の人材開発施策に関する初歩的な事項を正しく理解している。	
	新聞やテレビ報道を通じて、OJTやキャリア開発など人材開発の動向等に関する初歩的な事項を把握している。	
	人材開発計画等に関する簡単な書類の作成やデータ収集など、補助的実務を的確に行っている。	
	公的助成金の申請等に必要な資料の整理や書類の記入など、補助的作業を適切に行っている。	

【労務コンサルタント系】

能力・素質	職務遂行の基準	○
労使関係 基礎	組合がある場合とない場合の労務管理の進め方の相違など、労使関係に関する初歩的な事項を正しく理解している。	
	新聞やテレビ報道を通じて、最近の労使関係の動きや労働法令の動向等に関する初歩的な事項を把握している。	
	上司の指示を踏まえて労使交渉等に必要な資料の収集や図表の作成等の補助的実務を適切に行っている。	
	上司の指示を踏まえて労働組合側担当者に対する基本的な連絡・伝達等を的確に行っている。	
安全衛生 基礎	会社の安全衛生管理体制や労働災害防止策等に関する初歩的な事項を正しく理解している。	
	報道を通じて、メンタルヘルスなど安全衛生に関係する事項等の初歩的動向を把握している。	
	安全委員会・衛生委員会など安全衛生活動推進に関する資料準備等の補助作業を的確に行っている。	
	健康診断などの実施に関する事務連絡や書類の作成等の補助作業を適切に行っている。	
	安全衛生上問題があると感じる社内の労働環境について、具体的な指摘を行っている。	
福利厚生 基礎	住宅対策、財産形成対策など福利厚生施策の基本的メニューや会社で運営する制度の概要を正しく理解している。	
	新聞やテレビ報道を通じて、労働者意識・ライフスタイルの変化など福利厚生に影響を与える初歩的な事項を把握している。	

【国際経営コンサルタント系】

能力・素質	職務遂行の基準	○
異文化 コミュニケー ション	国や地域によって価値観が違うことを理解し、多様な考え方を尊重している。	
	英語による挨拶など口頭による簡単なコミュニケーションを適切に行っている。	
国際経営 管理基礎	政治経済動向など国際経営環境の基本的事項を正しく理解している。	
	国際経営をめぐるリスクマネジメント、製造物責任、地球環境問題等について基本的事項を理解し、指示を踏まえて補助的実務を適切に行っている。	
	国際経営に必要な情報・文献の収集や整理等の補助的作業を適切に行っている。	
国際事業 運営基礎	海外での株式会社の設置に関する基礎的事項を理解し、指示を踏まえて実務の補助を適切に行っている。	
	海外の株式会社の運営に関する基礎的事項を理解し、指示を踏まえて実務の補助を適切に行っている。	

○つけ方式❽
チームワークやリーダーシップで高評価を得る

どの職種であってもチームの一員として働けることが重要。
特にリーダーシップを発揮できる人は高評価です。

● チームワークはどのような行動が推奨されるか

　チームワークは仕事をしていくうえでの基本なので、採用側は特に注視します。〔○つけ方式〕の、全職種共通の表（P.81）に「チームワーク」についての項目がありますが、これを抜き出したのが下の表で、**推奨される具体的な行動例**を付記しました。〔○つけ方式〕の表は、いずれも厚労省の「評価ガイドライン」をベースにしていますが、なかでもこの項目は、**最も良い「A評価」となる行動指標**をもとにしています。現在の自分はどうか、ゼミやサークル活動に置き換えて考えてみてください。

【チームワークの基本】

職務遂行の基準	推奨される具体的な行動例	○
余裕がある場合には、周囲の忙しそうな人の仕事を手伝っている。	気づいた場合には仕事を手伝う。	
	仕事に不慣れな同僚を積極的に手伝う。	
チームプレーを行う際には、仲間と仕事や役割を分担して協同で取り組んでいる。	仕事の分担を工夫する。	
	一緒に仕事をする同僚・後輩をリードする。	
周囲の同僚の立場や状況を考えながら、チームプレーを行っている。	チームの中心として、メンバーをとりまとめている。	
	チームメンバーに声をかけ雰囲気を盛り上げている。	
苦手な同僚、考え方の異なる同僚であっても、協力して仕事を進めている。	ソリが合わない同僚とであっても仕事を進めている。	
	タイプの異なる同僚から自分も学びとろうとしている。	
職場の新人や下位者に対して業務指導や仕事のノウハウ提供をしている。	仕事が遅れている同僚に声をかけている。	
	仕事のコツやカンを新人に伝授している。	

●どのような リーダー が求められるか

　リーダーシップのある人は高評価されます。ただ、どのような場合にリーダーシップを発揮したといえるのか、とまどう人もいるでしょう。

　下表が、**実務でリーダーに求められるとされる資質**の例です。入社したと仮定し、今の自分と比較してどうでしょうか。大学生時代における集団生活、たとえばゼミやサークル、アルバイトに当てはめると考えやすいと思います。

【リーダーに求められる素質の例】

能力・素質	職務遂行の基準	○
情報の共有化・浸透	業務上有用な情報を社内外から収集し、社内で共有化・浸透させることに努めている。	
コミュニケーション	経営陣・部下・他部門との意思疎通を図っている。	
業績・コスト意識	各エリアや部門ごとの業績向上・コスト削減に対する努力をしている。	
判断力・決断力・実行力	どんな状況下においても、迅速・適切な判断・決断を下し、実行している。	
人材の管理・育成	部下の能力開発・レベルアップのための管理・育成計画の立案・実行ができている。	

　ひとつ注意したいのは、必ずしも**「リーダーシップ＝役職上のリーダーの役務」ではない**ということです。たとえば、サークル活動において、リーダーシップを発揮するのは、会長や副会長だけではありません。経理については会計係が率先しますし、飲み会などの企画で力量を発揮する、いわゆる〝宴会部長〟もいるでしょう。

　つまり、「リーダーシップを発揮した」とは、具体的な役職についた、というだけではなく、もっと広く、**まわりの人を巻き込んで何かを率先して行い、まわりと協力し合って成果をあげた実績**をいいます。どんなことでもかまいません。ひとつでもあったら、それを積極的にアピールしましょう。アピールの際は「周囲から高評価を得ている」などのあいまいな表現ではなく、成果が数字などで具体的に示せるとベターです。

学業欄における
上手なPR方法

空欄に書き入れ、PRポイントを探っていく「書き足し方式」です。
まず「学業」について見てみましょう。

○〔STEP〕を踏んでPRポイントを探っていく

「書き足し方式」は、**表の空欄に書き足すことで、自身のPRポイントを探っていく方法**です。空欄を埋める作業で、考え、手を動かすことで、頭のなかが整理され、何をアピールすればいいか明らかになっていきます。次の手順にしたがって書き入れてください。

> STEP 1 設定テーマに関連して「頑張ったこと」全般を考えます。うまく書けなくても問題ありません。
>
> STEP 2 詳しい〝掘り起こし〟をしていきます。必ずしも全欄を埋める必要はありません。書き込みを通して明らかになった内容を自己PR文の〝ネタもと〟にします。

手始めに「学業」について探ってみましょう。講義やゼミの話題のほか、関連する事柄から話を膨らませることもできます。例文は「この成功から学んだことは?」から話を膨らませたものです。

例文
コンビニの立地を経済地理学の観点から考察して
A評価獲得

○○町のコンビニの立地について経済地理学の観点から考察し、卒論をまとめました。現地調査の過程で、自分の「足」を使うことの重要性を学びました(駅から半径4kmのエリア全域を徒歩で調査)。

● 分析してみよう！（面接の掘り下げ質問対策にもなる）

> **STEP 1** まず下記に回答してください。

〔学業では、どんなことを頑張りましたか？〕

私は _____ を頑張りました。

> **STEP 2** 上の回答を踏まえて、細かく書き出してみましょう。
> すべてが埋まらなくてもOKです。

学業で頑張ったことは _____ です。

頑張った理由（目的）は _____ です。

どのくらい頑張ったかというと _____ です。

指導してくれた人は _____ です。

一緒に頑張った友人、ライバルは _____ です。

その友人（ライバル）から受けた影響は _____ です。

この経験の最大の失敗は _____ です。

この失敗から学んだことは _____ です。

この経験の最大の成功は _____ です。

この成功から学んだことは _____ です。

この経験の最大の恩人は _____ です。

この恩人から学んだことは _____ です。

この経験は _____ にも役立っています。

この経験は仕事で _____ に役立つと思います。

　学業は学生の〝本分〟です。そのため、採用担当者は「学業をどう頑張ったか」から、**社会人の〝本分〟である「仕事」に取り組む姿勢**を類推します。高い学業成績や、掲げた目標などの大きさなどについて書くと、採用担当者は高く評価するでしょう。

書き足し方式❷

アルバイト欄における
上手なPR方法

学業の次はアルバイト経験を「書き足し方式」で分析してみましょう。
どう頑張り、何を学んだかを探ります。

●アルバイトから何を学んだか振り返ってみよう

　学業以外の活動は、サークル活動とアルバイトが典型ですが、「頑張った」という表現は、アルバイトのほうがしっくりくるかもしれません。サークル活動は楽しみのためですが、アルバイトは実際に報酬を伴うだけに〝力の入れ方〟が違うでしょう。また、いわば**「経済活動の末端に身を置く」**ことでもあるので、**実務について学ぶことも多いはず**です。

　ただ、そうしたことは、あまり自覚せず、任された仕事を淡々とこなしてきた人が多いのではないでしょうか。書き足しフォーマットを使って、**アルバイトから何を学んだか**振り返ってみましょう。下はアルバイトについて述べた自己PRの例文です。

例文

バイトリーダーを任され
店舗運営のスキルを身につけました

コンビニのアルバイトを3年間頑張ってきました。現在はバイトリーダーを任されています。この間、店長から直接指導を受け、

- 商品発注や陳列を時期に合わせること
- 時間ごとの来店客層に合わせて商品を構成すること
- 在庫管理、収支計算、新人教育の手法

といったスキルを身につけました。時給は店の最高額をいただいています。この経験を貴社の仕事でも役立てたいと思います。

●分析してみよう！（面接の掘り下げ質問対策にもなる）

> **STEP 1** まず下記に回答してください。

〔どんなアルバイトをしていましたか？〕

私は _____ のアルバイトをしていました。

> **STEP 2** 上の回答を踏まえて、細かく書き出してみましょう。
> すべてが埋まらなくてもOKです。

アルバイトで頑張ったことは _____ です。

頑張った理由（目的）は _____ です。

どのくらい頑張ったかというと _____ です。

指導してくれた人は _____ です。

一緒に頑張った仲間、ライバルは _____ です。

その仲間（ライバル）から受けた影響は _____ です。

この経験の最大の失敗は _____ です。

この失敗から学んだことは _____ です。

この経験の最大の成功は _____ です。

この成功から学んだことは _____ です。

この経験の最大の恩人は _____ です。

この恩人から学んだことは _____ です。

この経験は日常の _____ にも役立っています。

この経験は入社後 _____ に役立つと思います。

アルバイトは**学外で行う**点で、学内の活動であるサークル活動とは性質が異なります。**ビジネスに通じることを自覚し、目標を立てて積極的に取り組んだ**ことを書けば、高い評価を得られるでしょう。アルバイト先と志望企業の業種は同じである必要はありません。

書き足し方式❸
スポーツ欄における
上手なPR方法

「スポーツで自分が何を得たか」は、頑張った内容、
身についた内容がポイント。対戦成績だけではありません。

● 大学時代にこだわる必要はない

　PART1 の〔ガクチカ❷：スポーツ〕（P.40 ～ 41）で解説したとおり、**どう頑張ったか、何を得たか**が重要です。試合実績で秀でた記録がないと「特に書くことはない」と思う人が多いですが、本当にそうか、空欄に書き足すことで〝棚卸し〟をしてみてください。

　もちろん、試合で優秀な成績を収めた実績があれば、積極的にアピールすべきです。ただし、それは頑張って取り組んだ結果であること、その経験を仕事に活かす決意であることを示しましょう。

　下は高校時代の優勝経験をアピールした例文です。スポーツの成果は、必ずしも大学時代のものである必要はありません。

例文

ソフトテニスで市大会２位

高校時代にソフトテニス部で活動していました。次の３つを心がけ、毎日暗くなるまで練習に取り組みました。

- 何があっても練習日は休まない
- ほかの人の２倍努力する
- 絶対に弱音をはかない

この結果、市の大会で２位入賞を果たしました。大学では学業に力を入れるため、今は趣味で続けています。高校で頑張った経験を、仕事でも活かしたいと考えます。

●分析してみよう！（面接の掘り下げ質問対策にもなる）

STEP 1　まず下記に回答してください。

〔どんなスポーツ（種目）に取り組んでいましたか？〕

私は ＿＿＿＿＿＿＿＿＿＿＿＿＿＿＿＿ に取り組んでいました。

STEP 2　上の回答を踏まえて、細かく書き出してみましょう。
すべてが埋まらなくてもOKです。

所属していたのは ＿＿＿＿＿＿＿＿＿＿ です。＊チーム、サークルなど

取り組んだ期間は ＿＿＿＿＿＿＿＿＿＿＿＿ です。＊年数など

スポーツで頑張ったことは ＿＿＿＿＿＿＿＿＿＿＿＿＿ です。

頑張った理由（目的）は ＿＿＿＿＿＿＿＿＿＿＿＿＿ です。

どのくらい頑張ったかというと ＿＿＿＿＿＿＿＿＿＿＿ です。

指導してくれた人は ＿＿＿＿＿＿＿＿＿＿＿＿＿ です。

一緒に頑張った仲間、ライバルは ＿＿＿＿＿＿＿＿＿ です。

その仲間（ライバル）から受けた影響は ＿＿＿＿＿＿＿ です。

スポーツで最大の失敗は ＿＿＿＿＿＿＿＿＿＿＿＿ です。

この失敗から学んだことは ＿＿＿＿＿＿＿＿＿＿＿＿ です。

スポーツで得た最大の成果は ＿＿＿＿＿＿＿＿＿＿＿ です。

この成果から学んだことは ＿＿＿＿＿＿＿＿＿＿＿＿ です。

スポーツ経験における最大の恩人は ＿＿＿＿＿＿＿＿ です。

この恩人から学んだことは ＿＿＿＿＿＿＿＿＿＿＿＿ です。

スポーツの経験は日常の ＿＿＿＿＿＿＿＿＿ にも役立っています。

スポーツの経験は入社後 ＿＿＿＿＿＿＿＿ に役立つと思います。

　スポーツで得た「成果」は、対戦成績に限りません。テクニック、
人間的な成長、またスキルの向上に関することでも OK です。

書き足し方式❹
サークル活動における
上手なPR方法

サークル活動は「頑張った」というよりも、「得たもの」があるはず。
書き足し方式で探してみましょう。

◉ 組織運営の観点からも「成果」は見出せる

サークル活動のポイントも、どう頑張ったか、自分にどうプラスになったかが重要。漫然と活動を楽しんできた人も、**フォーマットに記入することで、見えてくるものがあるはず**です。

スポーツ系や、コンクールやコンテストがある文化系では、その**成績が具体的な「成果」になります。**一方、趣味系サークルの場合、サークル運営に**どう取り組んだか**が焦点になるでしょう。コミュニケーション、リーダーシップ、また経理や渉外などの観点からも考えてみてください。

下はサークル運営について、経理面からアプローチした例文です。

例文

天文クラブで経理を担当（悪化していた財務の改善に貢献）

天文クラブで2年間、経理係を務めました。任された当時は、決まりがあいまいだったこともあって、会費の滞納者が多く、望遠鏡の修理費にも事欠く状況でした。そこで私が提案して会議を開き、会費の金額と納期を明文化し、滞納者には経理係（私）が督促すること、ペナルティーを課すことも決めました。この結果、会費の滞納はなくなり、新しい望遠鏡を購入することもできて皆に感謝されました。経理を通じて培った管理力を、入社後の仕事でも役立てたいと考えています。

分析してみよう！（面接の掘り下げ質問対策にもなる）

> **STEP 1** まず下記に回答してください。

〔どんなサークルに所属していましたか？〕

私は ＿＿＿＿＿＿＿＿＿＿＿＿＿＿＿ に所属していました。

> **STEP 2** 上の回答を踏まえて、細かく書き出してみましょう。すべてが埋まらなくてもOKです。

サークルの活動内容は ＿＿＿＿＿＿＿＿＿＿＿＿＿＿＿ です。

サークルで力を入れて取り組んだことは ＿＿＿＿＿＿＿ です。

力を入れた理由（目的）は ＿＿＿＿＿＿＿＿＿＿＿ です。

どのくらい力を入れたかというと ＿＿＿＿＿＿＿＿＿ です。

指導してくれた人は ＿＿＿＿＿＿＿＿＿＿＿＿＿ です。

一緒に取り組んだ仲間（ライバル）は ＿＿＿＿＿＿＿＿ です。

その仲間（ライバル）から受けた影響は ＿＿＿＿＿＿＿ です。

サークル活動で最大の失敗は ＿＿＿＿＿＿＿＿＿＿ です。

この失敗から学んだことは ＿＿＿＿＿＿＿＿＿＿＿ です。

サークル活動で得た最大の成果は ＿＿＿＿＿＿＿＿ です。

この成果から学んだことは ＿＿＿＿＿＿＿＿＿＿＿ です。

サークル活動で最大の恩人は ＿＿＿＿＿＿＿＿＿＿ です。

この恩人から学んだことは ＿＿＿＿＿＿＿＿＿＿＿ です。

サークル活動の経験は日常の ＿＿＿＿＿＿ にも役立っています。

サークル活動の経験は入社後 ＿＿＿＿＿＿ に役立つと思います。

　対外試合を重視するスポーツ系サークルの場合は〔書き足し方式❸：スポーツ〕（P.100～101）のフォーマットのほうが合っているかもしれません。比較して、使いやすいほうを選んでください。

書き足し方式❺

「日常の努力」について聞かれた場合

漠然としていますが、取り組みだけでなく心がけや信条、
モットーなども該当し、パーソナリティにつながります。

● 題材は多種多彩に考えられる

「日常の努力」といっても、生活上の努力、学業や課外活動での努力、アルバイトに関係する努力など、いろいろあります。心がけや信条も考えられるでしょう。漠然として焦点が絞りにくい項目ですが、見方を変えれば「なんでも OK」ともいえます。まず一日の生活サイクルを洗い出し、**長く続けていることや、行動の軸になっているもの**はないか、探ってみましょう。それを始めたきっかけや、続けている理由もあるはずです。

　下に挙げたのは「時間厳守」をテーマにした例文です。心がけや信条のテーマとしては珍しくありませんが、見出しの工夫で目を引いています。

例文

10分前到着を10年続ける、自称「Mr.10」です

私は日頃から「時間厳守」に努めています。授業の始業、アルバイトのシフト、友人との待ち合わせなど、すべて10分前に到着するよう心がけています。小学生時代は時間にルーズでしたが、大切な待ち合わせに20分も遅れて大目玉を食らい、考え方を改めました。以後10年間、一度も遅刻したことはありません。時間を守るために交通情報をチェックし、健康にも気を配っています。入社後もこの努力を続け、信頼されるビジネスパーソンになることを目指します。

●分析してみよう！（面接の掘り下げ質問対策にもなる）

> **STEP 1** まず下記に回答してください
> （すべてを埋める必要はありません）。

私は日頃から ＿＿＿＿＿＿＿＿＿＿＿＿＿＿＿ の努力をしています。

私が日々心がけているのは ＿＿＿＿＿＿＿＿＿＿＿＿＿ です。

私の信条（モットー）は ＿＿＿＿＿＿＿＿＿＿＿＿＿＿ です。

> **STEP 2** 上の回答を踏まえて、細かく書き出してみましょう。
> すべてが埋まらなくてもOKです。

努力している理由（目的）は ＿＿＿＿＿＿＿＿＿＿＿＿ です。

始めたきっかけは ＿＿＿＿＿＿＿＿＿＿＿＿＿＿ です。

続けている期間は ＿＿＿＿＿＿＿＿＿＿＿＿＿ です。

日々心がけている理由は ＿＿＿＿＿＿＿＿＿＿＿＿＿ です。

きっかけは ＿＿＿＿＿＿＿＿＿＿＿＿＿ です。

心がけるようになって ＿＿＿＿＿＿＿＿＿＿＿ くらい経ちます。

信条（モットー）としている理由は ＿＿＿＿＿＿＿＿＿＿＿ です。

きっかけは ＿＿＿＿＿＿＿＿＿＿＿＿＿ です。

信条とするようになって ＿＿＿＿＿＿＿＿＿＿＿ くらい経ちます。

影響を受けた人は ＿＿＿＿＿＿＿＿＿＿＿＿＿ です。

努力が挫折しかけたのは ＿＿＿＿＿＿＿＿＿＿＿＿ のときです。

そのときの経験から学んだことは ＿＿＿＿＿＿＿＿＿＿ です。

努力（心がけ、信条）が報われた最大の成果は ＿＿＿＿＿＿ です。

その成果から学んだことは ＿＿＿＿＿＿＿＿ にも役立っています。

努力（心がけ、信条）は日常の ＿＿＿＿＿＿＿＿ にも役立っています。

努力（心がけ、信条）は入社後 ＿＿＿＿＿＿＿＿ に役立つと思います。

書き足し方式❻
資格・特技欄で上手にPRする方法

この項目は特に、仕事との関連性を考えることが重要。
どんな資格や趣味がPRにつながるか検討しましょう。

● 書き出して何が仕事で通用するか考える

PART1の〔受かる書き方〕(P.48～69)で解説したとおり、もっている資格・免許や趣味・特技は、**仕事にも活かせることをアピール**します。大半の人が複数の資格や特技をもっているので、**フォーマットに書き出し、どれが最も仕事で通用するか**考えてみましょう。

仕事に関係ないように見える資格・特技であっても、工夫次第で仕事に関連づけることが可能です。しかし、アピールできる資格・特技がないと判断したら、今からでも取得を目指す、新たな特技に挑戦するなど、積極的に動くことが必要です。

PR文のスタイルは、〔受かる書き方〕で例示したように、**複数の資格や特技を書き並べ、それぞれに短くアピール文を添えるスタイル**と、下の例文のように**ひとつに絞って詳しく書くスタイル**があります。

例文

生け花○○流の師範です

高校の華道部で○○流の生け花を始め、卒業後も続けた結果、一昨年、念願の師範の資格を取得しました。取り組みを通して身につけたことは、必ず貴社の仕事にも活かせると自負しています。

- 美的センスを活かして魅力的な商品を開発
- 稽古に地道に取り組んだ継続力を、長期プロジェクトで発揮

○分析してみよう！（面接の掘り下げ質問対策にもなる）

STEP1 まず下記に回答してください
（すべてを埋める必要はありません）。

私がもっている資格は……

1. _____ です。

2. _____ です。

3. _____ です。

私の特技は……

1. _____ です。

2. _____ です。

3. _____ です。

STEP2 上の回答を踏まえて、細かく書き出してみましょう。
すべてが埋まらなくてもOKです。

私がもっている資格 _____ は、

志望する企業の、_____

_____ の仕事に役立ちます。

私の特技 _____ は、

志望する企業の、_____ の仕事に役立ちます。

私は志望する企業の _____ での仕事に役立
てるため、資格 _____ の取得を目指します。

（期限：_____ 年 _____ 月 _____ 日）

私は志望する企業の _____ での仕事に役立て
るため、特技 _____ を身につけます。

（期限：_____ 年 _____ 月 _____ 日）

書き足し方式❼

失敗経験は『どうリカバリーしたか』を書く

失敗は、誰にでもあるもの。採用側は失敗した事実や内容ではなく、
それをどうリカバリーしたかに注目します。

●「反省と対策」がポイント

　失敗については、業界を問わず頻出される質問です。面接に進んだら、さらに突っ込んで聞かれる可能性が高いので、ESに書く段階から、しっかり対策を練っておく必要があります。

　ポイントは2つ。**何を目標にしていたか**、**失敗を受けてどう反省し対策したか**です。「失敗した」ということは、高い目標を設定したわけで、チャレンジ精神の反映と見ることができます。そして、失敗から何を学び対策したか、**リカバリー能力**を見ているわけです。自己分析シートに記入して探ってみてください。

　なお、失敗は**大学時代の経験であることが望ましい**ですが、高校時代の経験でも、たとえばスポーツで都道府県1位、全国1位を目指していたとか、通常は社会人が挑戦する難関資格を目指して努力したといった経験であれば、高い評価が得られるでしょう。

例文

〔大学時代を通して最大の失敗はなんですか？〕
秘書検定1級不合格（勉強を習慣化して再挑戦します）
秘書検定は2級に合格していたので、1級も楽勝だろうと油断してしまい、あえなく不合格。日によって勉強したりしなかったりとムラがあったことが原因であると反省し、勉強時間を毎日2時間、生活のサイクルに組み入れて習慣化しました。次回の合格を目指して頑張っています。

●分析してみよう！（面接の掘り下げ質問対策にもなる）

STEP 1 まず下記に回答してください。

〔これまででいちばんの失敗はなんですか？〕

私のいちばんの失敗は ＿＿＿＿＿＿＿＿＿＿＿＿＿＿＿＿ です。

STEP 2 上の回答を踏まえて、細かく書き出してみましょう。
すべてが埋まらなくてもOKです。

目指していた目標は ＿＿＿＿＿＿＿＿＿＿＿＿＿＿＿＿＿＿ です。

失敗の内容は ＿＿＿＿＿＿＿＿＿＿＿＿＿＿＿＿＿＿ です。

失敗した結果は ＿＿＿＿＿＿＿＿＿＿＿＿＿＿＿＿＿＿ です。

失敗の結果とった対策は ＿＿＿＿＿＿＿＿＿＿＿＿＿＿＿＿ です。

失敗した原因（理由）は ＿＿＿＿＿＿＿＿＿＿＿＿＿＿＿＿＿ です。

失敗して反省したことは ＿＿＿＿＿＿＿＿＿＿＿＿＿＿＿＿ です。

失敗から学んだことは ＿＿＿＿＿＿＿＿＿＿＿＿＿＿＿＿＿ です。

この失敗以降、心がけるようになったことは ＿＿＿＿＿＿＿＿ です。

失敗から立ち直る手助けをしてくれた恩人は ＿＿＿＿＿＿＿ です。

この恩人から学んだことは ＿＿＿＿＿＿＿＿＿＿＿＿＿＿＿ です。

この経験は日常生活で ＿＿＿＿＿＿＿＿＿＿＿＿ に役立っています。

この経験は学業で ＿＿＿＿＿＿＿＿＿＿＿＿＿ に役立っています。

この経験は仕事で ＿＿＿＿＿＿＿＿＿＿＿＿ に役立つと思います。

　多くの就活生が書く大学受験の失敗は、高評価を得にくい題材です。経験者が多い失敗なので埋没しやすいこと、担当者の出身大学が、万が一自分が落ちた大学だったら気分を害してしまうこと。また、自分が落ちた大学以上の偏差値の大学を担当者が出ていたとしたら、共感してもらえないことなどがその理由です。

書き足し方式❽
成功体験は
自慢話にならないように

題材には困らないとは思いますが、自画自賛に陥りやすく
客観視しにくい項目です。冷静に分析しましょう。

● 失敗を踏まえたうえでの成功がベター

　成功体験に関する質問の意図は、実は失敗経験に関する質問意図とオーバーラップしています。成功は**「高み」を目指したチャレンジの成就**といえますし、成功するために行った方法や努力は、**失敗の反省にもとづく対策と多くの部分で共通**しています。

　実際、失敗からのリベンジは珍しくありませんし、失敗をバネにした成功のほうが、説得力ある体験談になって、評価は高くなります。かえって〝一発成功〟のほうが、**客観的な原因分析がしにくい**かもしれません。自己分析シートでは、そのあたりも考慮しています。

　やはり成功体験も大学時代のものであることが望ましいですが、失敗経験同様、全国の頂点や難関の目標に挑戦した成果であれば、高校時代のものでも良いでしょう。いずれにしろ、高い目標に挑戦した結果であるほど、高評価になることはいうまでもありません。

例文

〔大学時代を通して最大の成功はなんですか？〕
簿記2級に合格（「三度目の正直」で合格を決める）

簿記部に入っていた高校のときから挑戦し、3回目で合格できました。工業簿記の細かな計算部分が苦手だったので苦労しましたが、過去問題集が破れるほど勉強を繰り返しました。合格証を手にしたときは、天にものぼる気持ちでした。簿記の知識を事務の仕事に活かしたいと考えます。

●分析してみよう！（面接の掘り下げ質問対策にもなる）

> **STEP 1** まず下記に回答してください。

〔これまででいちばん成功したことはなんですか？〕

私のいちばんの成功は _____ です。

> **STEP 2** 上の回答を踏まえて、細かく書き出してみましょう。
> すべてが埋まらなくてもOKです。

私は _____ に成功しました。

成功したのは _____ のときです。

成功した結果 _____ になりました。

成功するために取り組んだことは _____ です。

成功することができた要因（理由）は _____ です。

成功から学んだことは _____ です。

この成功体験で心がけるようになったことは

_____ です。

この成功は _____ の失敗からのリベンジです。

前回の失敗を反省して心がけるようになったことは

_____ です。

私を成功に導いてくれた恩人は _____ です。

この恩人から学んだことは _____ です。

この経験は日常生活で _____ に役立っています。

この経験は学業で _____ に役立っています。

この経験は仕事で _____ に役立つと思います。

成功体験は、当然ながら、**楽しいことより苦しいこと**、**簡単な目標より困難な目標**のほうが、採用担当者の評価は高くなります。

書き足し方式❾
小学校時代の経験

小学校時代の経験は、案外苦労する質問。あまりに昔のこと
だからです。記憶を掘り起こし、分析しておきましょう。

●本質的な性格傾向を見るのが目的

　小学校時代については、保険、銀行、教育、玩具、製菓、アパレ
ルといった業界で、多く質問される傾向があります。その目的は、
志望者の**本質的な性格や、その傾向**を見ることです。人は成長する
につれて「社会性」を獲得するので、ある程度大きくなると周囲に
自分を合わせるようになります。それは本来の自分を隠すことにも
つながります。小学生はまだ高い社会性を獲得しておらず、**行動や
経験に本来の性格が表れやすい**ため、当時の経験を聞くわけです。
記憶を掘り起こし、しっかり分析しておくことが肝要です。

> **例文**
>
> 〔あなたが小学校時代に頑張ったことはなんですか？〕
> 珠算です。そろばん教室に小学1年から週2回、5年間通って
> いました。読み上げ算で同じ教室の年長者に負けるのが悔しく
> て、家でも猛練習しました。そのかいあって速く正確にできる
> ようになり、年長者に勝つ快感も知って、ますます頑張りました。
> 身につけた珠算1級の計算力と競争心で、売上首位に立てるよ
> う頑張ります。

　「頑張ったこと」は「高い成績を得たこと」だけではありません。
「競争に勝ったこと」も、アピールの題材になります。年長者との
競争は、メンタル面の強さが推測されて高評価につながります。

112

●分析してみよう！（面接の掘り下げ質問対策にもなる）

> **STEP 1** まず下記に回答してください。

〔小学校時代、どんなことを頑張りましたか？〕

私は ＿＿＿＿＿＿＿＿＿＿＿＿＿＿ を頑張りました。

> **STEP 2** 上の回答を踏まえて、細かく書き出してみましょう
> （学業、課外活動など）。すべてが埋まらなくてもOKです。

頑張ったことは ＿＿＿＿＿＿＿＿＿＿＿＿＿＿ です。

頑張った理由（目的）は ＿＿＿＿＿＿＿＿＿＿＿＿ です。

どのくらい頑張ったかというと ＿＿＿＿＿＿＿＿＿＿ です。

指導してくれた人は ＿＿＿＿＿＿＿＿＿＿＿＿ です。

一緒に頑張った友人、ライバルは ＿＿＿＿＿＿＿＿ です。

その友人（ライバル）から受けた影響は ＿＿＿＿＿＿ です。

この経験の最大の失敗は ＿＿＿＿＿＿＿＿＿＿＿ です。

この失敗から学んだことは ＿＿＿＿＿＿＿＿＿＿ です。

この経験の最大の成功は ＿＿＿＿＿＿＿＿＿＿＿ です。

この成功から学んだことは ＿＿＿＿＿＿＿＿＿＿ です。

この経験の最大の恩人は ＿＿＿＿＿＿＿＿＿＿＿ です。

この恩人から学んだことは ＿＿＿＿＿＿＿＿＿＿ です。

この経験はその後 ＿＿＿＿＿＿＿＿＿＿＿＿ に役立っています。

前述したように、小学生で頑張ったことは、本来の性格や傾向を反映しているので、**仕事選びにも影響している**ものです。自己分析を行ってみて、志望企業の判断基準になっていることがわかり、驚く人もいるのではないでしょうか。これは自己PRの素材にもなりえます。書き添えると、好評価を得られるでしょう。

書き足し方式❿
中学校時代の経験

小学校よりも記憶に残りやすく、かつ部活動の記憶が増えてきます。
こちらも書き足し方式で整理しておきましょう。

● 社会性の萌芽と本質的な性格の両方が見られる

　中学校時代についても、小学校時代同様、保険、銀行、教育、玩具、製菓、アパレルといった業界で、多く質問される傾向があります。やはり、志望者の**本質的な性格**を見ることが主目的です。

　中学生になると部活動を通して上下関係が生活に大きく関係するようになり、また思春期を迎えるなど、いわゆる難しい年頃に差しかかり、**徐々に「社会性」を獲得する**ようになります。しかし、まだ〝純粋さ〟があるので、たとえば**部活動への取り組み方には性格が如実に反映**されますし、交遊関係などで**最初の「挫折」を経験する**人も多いはずです。また、多くは「高校受験」という試練を控えているため、学業への取り組み方でも個々の違いが顕著になってきます。

　部活で頑張った記憶が、今も鮮明に残っている人は多いでしょう。その時代の経験が今にどう活きているか、分析しておきましょう。

例文

〔あなたが中学校時代に頑張ったことはなんですか？〕
　卓球部に所属し、毎日練習に明け暮れました。1日最低200回の素振りを自分に課し、放課後はもちろん、日曜祝日にも自主練習を行うなど、コツコツ努力を積み重ねました。その結果、3年間に振った回数は約21万回にもなりました。そうしたかいあって、3年のときに地区大会で準優勝することができました。

● 分析してみよう！（面接の掘り下げ質問対策にもなる）

> **STEP 1** まず下記に回答してください。

〔中学校時代、どんなことを頑張りましたか？〕
私は ＿＿＿＿＿＿＿＿＿＿＿＿＿＿＿ を頑張りました。

> **STEP 2** 上の回答を踏まえて、細かく書き出してみましょう
> （学業、課外活動など）。すべてが埋まらなくてもOKです。

頑張ったことは ＿＿＿＿＿＿＿＿＿＿＿＿＿ です。
頑張った理由（目的）は ＿＿＿＿＿＿＿＿＿＿＿ です。
どのくらい頑張ったかというと ＿＿＿＿＿＿＿＿＿ です。
指導してくれた人は ＿＿＿＿＿＿＿＿＿＿＿＿ です。
一緒に頑張った友人、ライバルは ＿＿＿＿＿＿＿＿ です。
その友人（ライバル）から受けた影響は ＿＿＿＿＿＿ です。
この経験の最大の失敗は ＿＿＿＿＿＿＿＿＿＿＿ です。
この失敗から学んだことは ＿＿＿＿＿＿＿＿＿＿ です。
この経験の最大の成功は ＿＿＿＿＿＿＿＿＿＿＿ です。
この成功から学んだことは ＿＿＿＿＿＿＿＿＿＿ です。
この経験の最大の恩人は ＿＿＿＿＿＿＿＿＿＿＿ です。
この恩人から学んだことは ＿＿＿＿＿＿＿＿＿＿ です。
この経験はその後 ＿＿＿＿＿＿＿＿＿＿ に役立っています。

　中学生で頑張ったことも、**仕事選びに影響**していることが多いので、ひと言書き添えるといいでしょう。また、**小・中学校時代に熱心に取り組んでいたことを現在に至るまで続けていると、強力なPRポイント**になります。本格的でなく、趣味としてでもOK。「これを機にあらためて再開した」という話でも良いでしょう。

書き足し方式⓫
高校時代の経験

頻出の質問です。記憶にも新しく、分析しやすいでしょう。
頑張った経験を掘り起こしてみてください。

● 大学、さらに実社会へつながる、高校時代の経験

高校生になると「社会性」がさらに強くなります。部活動では**「組織のなかの自分」**を意識するようになり、自分より学校の栄誉や周囲の期待を優先させなければならない場面も多くなります。

学業についても、大学受験を控えているため、**義務教育とは違った取り組み**を余儀なくされます。どの大学に進むかで、その後の人生（職業や就職先）が変わってくる場合があるからです。つまり、高校時代の3年間は、「社会との関係」を、さまざまな場面で意識することになる最初の期間ということができるでしょう。

したがって、高校時代にした経験の延長線上には、大学、さらに実社会（就職先）があると認識することが重要です。なので、高校時代の経験が**大学でどう役立っているか、就職後の仕事でどう活かせるか**、しっかり述べることが、回答の重要ポイントになります。

例文

〔あなたが高校時代に頑張ったことはなんですか？〕
音楽活動です。同級生5人とバンドを組んで活動しました。文化祭だけでなく、市の行事にもよく呼ばれました。私はベース担当で、最初は下手でしたが、毎日2時間練習して腕を磨きました。曲はすべて、メンバー全員が力を合わせてつくったオリジナルです。この経験を活かし、入社後はチームワークで新事業を立ち上げたいです。

● 分析してみよう！（面接の掘り下げ質問対策にもなる）

STEP 1　まず下記に回答してください。

〔高校時代、どんなことを頑張りましたか？〕

私は ＿＿＿＿＿＿＿＿＿＿＿＿＿＿ を頑張りました。

STEP 2　上の回答を踏まえて、細かく書き出してみましょう（学業、課外活動など）。すべてが埋まらなくてもOKです。

頑張ったことは ＿＿＿＿＿＿＿＿＿＿＿＿ です。

頑張った理由（目的）は ＿＿＿＿＿＿＿＿＿＿ です。

どのくらい頑張ったかというと ＿＿＿＿＿＿＿＿ です。

指導してくれた人は ＿＿＿＿＿＿＿＿＿＿＿ です。

一緒に頑張った友人、ライバルは ＿＿＿＿＿＿＿ です。

その友人（ライバル）から受けた影響は ＿＿＿＿＿ です。

この経験の最大の失敗は ＿＿＿＿＿＿＿＿＿＿ です。

この失敗から学んだことは ＿＿＿＿＿＿＿＿＿ です。

この経験の最大の成功は ＿＿＿＿＿＿＿＿＿＿ です。

この成功から学んだことは ＿＿＿＿＿＿＿＿＿ です。

この経験の最大の恩人は ＿＿＿＿＿＿＿＿＿＿ です。

この恩人から学んだことは ＿＿＿＿＿＿＿＿＿ です。

この経験は大学で ＿＿＿＿＿＿＿＿＿ に役立っています。

この経験は仕事で ＿＿＿＿＿＿＿＿＿ に役立つと思います。

　書き足し項目の大半は、小学校時代および中学校時代と同じですが、最後の2行——**大学でどう役立ったか、仕事にどう役立つか**をチェックすることに注目してください。ここが具体的に書けると、高い評価につながります。よく考えてみましょう。

専攻と無関係の業界を
目指しても大丈夫?

　自分が専攻した学問分野と関係ない業界を目指しても大丈夫だろうか——そんな疑問をもつ学生は少なくないようです。結論をいえば、まったく問題ありません。

　実社会では、専攻した学問と関係ない道に進んだビジネスパーソンのほうが、むしろ多いはずです。法学部を出た人が全員法曹界に入るわけではありませんし、医学部を出ても医師にならなかった人はたくさんいます。昔は、学部・学科を指定する企業は珍しくありませんでしたが、現在は、専攻分野を問わず、幅広く採用している企業が大半です。

　結局のところ、企業が求めるのは「自社で活躍し、自社に貢献できる人材」なのです。このことをしっかり頭に刻み込んでください。そのうえで、志望企業で活躍するにはどんな能力が必要か、徹底的に研究しましょう。

　志望理由については「1：志望企業の社員に聞いたこと」「2：志望企業のIR情報（経営計画、プレスリリース、マニュアルレポートなど）」を基本に、「どんな部署でどう貢献したいか」「なぜそう思ったか」を主題に文章を組み立てます。徹底的な企業研究は、これらを書くためにも必要なのです。

　専攻と異なる分野の企業でも、上記の努力をすれば、内定をとることは可能です。一方で「絶対にNG」なのは、勝手な思い込みで萎縮し、早々にあきらめたり遠慮したりすることです。「敵前逃亡」をするより、自信をもってチャレンジしてください。

PART

3

志望動機を組み立てる

自己分析同様、説得力ある志望動機も必須です。
しかし、「なぜその会社に入りたいのか」を明文化し、
説得力をもたせるのは、意外と難しいもの。
多くの採用担当者が「この学生を採用し、
ともに仕事をしたい」と評価する志望動機を
組み立てる方法を紹介します。

志望動機の書き方

受かる「志望動機」に必要なこと

「なぜ、その会社に入りたいのか」——この〝志〟が明確でないと、
自己PRも〝空振り〟になってしまいます。

●「入りたいほど好き」なら「理由」を明示せよ

　頭を悩ませる人が多いのが「志望動機」。入社を志望するからには、当然、理由があるはずですが、複数が絡み合っていたり、自分でも漠然としていたりして、整理しきれない人も多いようです。

　ただし、それでは、採用担当者の良い評価は得られません。整理作業を行い、絡み合っている理由は絞り込み、漠然としているなら明確化して、採用担当者に明示することが必要です。

●採用側が「受け入れられる」理由を提示する

　しかし、明確化した志望動機が、採用側の意に沿う理由でなかったら、はじかれてしまいます。たとえば「基本給が高いから」を動機にしたとします。確かに重要なことですが、いわれた側はどう思うでしょうか。「お金さえもらえれば、仕事内容はどうでもいいのか」「それなら当社である必要はない」ということになります。

　つまり、相手が納得し、受け入れてくれる理由を示す必要があるということです。こういうと「ウソをついてでも、ということですか?」と聞かれることがありますが、そうではありません。前述したように、誰でも、志望動機はひとつではなく複数あるはずです。それを整理したなかから、企業側が納得する〝最適解〟を選び出して示すということです。

●志望動機の整理で注意すべき7ポイント

　志望動機の整理は、難しく思えるかもしれません。しかし、採用担当者が注視するポイントは、ある程度決まっています。

> ❶志望企業で、どんな仕事をしたいか。どんな部署を希望するか。
> ❷志望企業で、どんな成果を挙げたいか。
> ❸志望企業に関心をもったきっかけは何か。
> ❹志望企業について、どれくらい研究しているか。
> ❺志望企業の業務内容について、具体的に理解しているか。
> ❻同業他社でなく、志望企業でなければならない理由は何か。
> ❼キャリアプランをどう描いているか。

　以上を〝鍵〟に整理してみましょう。7つなくても OK。ただし❶と❷は最重要なので、必ず明確にしておきましょう。

●説得力を高めるため情報で〝裏打ち〟を

　志望動機を明確化しても、その〝根拠〟が弱いと真剣さに疑問符がつき、評価を下げてしまいます。志望動機は〝裏打ち〟をして**説得力を高める**ことが必要。そのためには、志望する企業や業界に関する情報収集に努めることです。次の５つはきわめて効果的です。

> ❶会社説明会や OB・OG 訪問、インターンシップなどで社員の話を聞く。　＊これは必須
> ❷新聞記事の確認。　＊図書館で志望企業の記事検索をするとよい
> ❸ビジネス誌の講読。　＊図書館で志望企業の記事検索をするとよい
> ❹Web サイトの閲覧。　＊手軽で情報も多いが、実行している人も多い
> ❺現場へ足を運ぶ。　＊実店舗や商品展示会、工事現場など

　このほか、パンフレットやカタログ、ニュース、テレビやラジオの CM などが考えられます。これらは当然〝ライバル〟もやっているので、いかに独自の情報をつかむかも〝鍵〟になってきます。

受かる志望動機❶

社員紹介の
ページを見る

ホームページの「社員紹介」を見て志望を固めた人は
多いでしょう。単なるファンと見なされないように要注意です。

○「社員」ではなく「仕事」にフォーカスする

　企業サイトの採用情報のページには、その企業に勤務する社員が
紹介されていることがあります。「営業部○○さんの一日」といっ
たタイトルで、担当業務が披露されていたり、仕事内容や心がけ、
志望者への激励などが語られたりと、関心を引く内容になっていま
す。これを見て志望を決めた人も少なくないでしょう。

　ただ、これを志望動機とする場合、**紹介されている社員への憧れ
にならないように注意**が必要です。あくまでも、**事業内容を知り、
共感したきっかけ**とすること。紹介されている社員や働き方への憧
れではなく、**志望企業の仕事に参画することに憧れてください。**

〔志望動機確認チェック〕

● 志望動機：ホームページに掲載されていた、

＿＿＿＿＿＿＿＿＿＿＿＿＿＿＿＿さんの紹介を読んだこと。

● 知ったこと・共感したこと：

＿＿＿＿＿＿＿＿＿＿＿＿＿＿＿＿＿＿＿＿＿＿＿＿＿＿＿

＿＿＿＿＿＿＿＿＿＿＿＿＿＿＿＿＿＿＿＿＿＿＿＿＿＿＿

● 入社して貢献できると思うこと・取り組みたいと思うこと：

＿＿＿＿＿＿＿＿＿＿＿＿＿＿＿＿＿＿＿＿＿＿＿＿＿＿＿

＿＿＿＿＿＿＿＿＿＿＿＿＿＿＿＿＿＿＿＿＿＿＿＿＿＿＿

左ページのチェックをもとに、下の空所を埋めて文章を作成し、ベース文とします。語句や表現は適宜変更してかまいません。ESには、さらに調整を加えて使用しますが、可能ならそのまま書き写してもかまいません。

〔志望動機の設計（ベース文）〕

見出し：＿＿＿＿＿＿＿＿＿＿＿＿＿＿＿＿＿＿＿＿＿＿＿

※1（　　　　　　　　　　　　　　　　　　　　　　）

私が貴社を志望したきっかけは、ホームページに掲載されていた、＿＿＿＿＿＿＿＿＿＿＿＿＿＿＿＿＿＿様 のお仕事を拝見したことです。

拝読して、貴社の＿＿＿＿＿＿＿＿＿＿＿＿＿＿＿＿＿＿＿＿

について知り、私も入社して参画したいと強く思いました。

私は ※2＿＿＿＿＿＿＿＿＿＿＿＿＿＿＿＿＿＿＿＿＿なので、

貴社の＿＿＿＿＿＿＿＿＿＿＿＿＿＿＿＿＿＿ に貢献できます。

入社したら ※3＿＿＿＿＿＿＿＿＿＿＿＿＿＿＿＿＿＿＿＿＿＿

したいと考えます。

※1：見出しの補足として、入社後に貢献できること、取り組みたい仕事、配属希望の部署などを、かっこでくくって簡潔に書きます。
※2：内容に関係する自分のセールスポイントを書きます。
※3：入社後に取り組みたい仕事、配属希望の部署など。

例文

「売れる売り場づくり」を提案します（色彩検定2級を活かす）

私が貴社を志望したきっかけは、ホームページに掲載されていた、第一営業部の千葉勇太様のお仕事を拝見したことです。拝読して、貴社の小売店営業では、担当する店舗の売り場レイアウトについて積極的な提案を行っていると知り、私も携わりたいとの思いを強くしました。私は色彩検定2級の資格を所有しているので、売り場の色彩設計に貢献できます。入社の暁には、ぜひ契約店を回り、各店の売上アップにつながる売り場の設計を提案したいと思います。

受かる志望動機❷
説明会で
話を聞く

会社説明会への参加は就活では欠かせません。
「社員の〝ナマの声〟に感銘を受けて」とすると高評価です。

○「説明」よりも「社員の言葉」を動機にする

　「会社説明会」には、個々の企業が単独で開く会社説明会と、複数の企業による合同会社説明会（合説）があります。どちらも就活生に向けて自社をPRする催しですが、額面どおり「説明を受ける場」と油断してはいけません。企業側はアプローチしてくる学生に目を光らせ、**実質的な「事前面接」になっている場合がある**からです。

　とはいえ、就活生にとっては現役社員から話を直接聞ける貴重な機会。利用しない手はありません。積極的に質問をしてください。その際社員から聞いた話を志望動機とすると、高評価につながる可能性大。**それだけ真剣に入社を志望していると判断されるから**です。

〔志望動機確認チェック〕

● 志望動機：会社説明会で、
＿＿＿＿＿＿＿＿＿＿＿＿＿＿＿＿＿＿＿さんの話を聞いて。

● 知ったこと・共感したこと：
＿＿＿＿＿＿＿＿＿＿＿＿＿＿＿＿＿＿＿＿＿＿＿＿＿＿
＿＿＿＿＿＿＿＿＿＿＿＿＿＿＿＿＿＿＿＿＿＿＿＿＿＿

● 入社して貢献できると思うこと・取り組みたいと思うこと：
＿＿＿＿＿＿＿＿＿＿＿＿＿＿＿＿＿＿＿＿＿＿＿＿＿＿
＿＿＿＿＿＿＿＿＿＿＿＿＿＿＿＿＿＿＿＿＿＿＿＿＿＿

左ページのチェックをもとに、下の空所を埋めて文章を作成し、ベース文とします。語句や表現は適宜変更してかまいません。ESには、さらに調整を加えて使用しますが、可能ならそのまま書き写してもかまいません。

〔志望動機の設計（ベース文）〕

見出し：_____

※1（　　　　　　　　　　　　　　　　　　　　　　）

私が貴社を志望したきっかけは、会社説明会で、
_____ 様 からお話をうかがったことです。
_____ について質問したところ、
_____ と丁寧な説明をいただき、
志望を決めました。私は ※2 _____ なので、
貴社の _____ に貢献できます。
入社したら ※3 _____
したいと考えます。

※1：見出しの補足として、入社後に貢献できること、取り組みたい仕事、配属希望の部署などを、かっこでくくって簡潔に書きます。
※2：内容に関係する自分のセールスポイントを書きます。
※3：入社後に取り組みたい仕事、配属希望の部署など。

例文

△△市での事業拡大に貢献します（△△市は私の地元です）

私が貴社を志望したきっかけは、合同説明会で、広報課の恩田翼様からお話をうかがったことです。いただいたパンフレットには載っていない、出店計画の最新情報に、○○県の出店予定はないか質問したところ、実は3年後を目標に△△市へ出店の計画があるとの回答をいただきました。丁寧なお答えをいただいて感銘するとともに、私は△△市の出身でもあることから、当地での事業拡大に貢献できると考えました。入社の暁には、もちろん△△店への勤務を希望します。

受かる志望動機❸

インターンシップでの 経験

インターンシップの経験から志望動機を組み立てると
高評価につながります。

○ 志望企業以外のインターン体験も使える

　もともとは就職活動前の職業体験として始まったインターンシップですが、今や**完全に就活の一部**になりました。建て前上は「採用選考とは別」ですが、自社のインターン経験者には〝特別選考枠〟を設けることを公言している企業もあり、毎年希望者が殺到します。

　それだけに、必ずしも志望企業のインターンを経験できるとは限りませんが、別の企業・業界でのインターン体験も、決してムダにはなりません。たとえば、**企業比較・業界比較の観点から志望動機につなげる**ことができます。インターン先の企業を志望する場合は、そのとき一緒に働いた社員の名前を挙げると説得力が増します。

〔志望動機確認チェック〕

● 志望動機：インターンシップを経験して
　ともに仕事をした社員： _____
　体験した仕事の内容： _____
　体験して思ったこと：
　_____
　_____

● 入社して貢献できると思うこと・取り組みたいと思うこと：
　_____

左ページのチェックをもとに、下の空所を埋めて文章を作成し、ベース文とします。語句や表現は適宜変更してかまいません。ESには、さらに調整を加えて使用しますが、可能ならそのまま書き写してもかまいません。

〔志望動機の設計（ベース文）〕

見出し：＿＿＿＿＿＿＿＿＿＿＿＿＿＿＿＿＿＿＿＿＿＿＿＿＿

※1（貴社のインターンシップに参加しました）

　私が貴社を志望したきっかけは、貴社のインターンシップに参加し、＿＿＿＿＿＿＿＿＿＿＿様 と一緒に＿＿＿＿＿＿＿＿＿＿＿＿＿ の仕事をさせていただいたことです。

体験する前は、＿＿＿＿＿＿＿＿＿＿＿＿ でしたが、

実際に体験してみると、＿＿＿＿＿＿＿＿＿＿＿＿＿＿＿

であることがわかり、貴社で働きたいとの思いが強くなりました。

入社したら ※2 ＿＿＿＿＿＿＿＿＿＿＿＿＿＿＿＿＿＿＿

したいと考えます。

※1：インターンシップを体験した企業を志望する場合、見出しの補足としてそのことを付記したほうが、読み手の目を引きます。
※2：入社後に取り組みたい仕事、配属希望の部署など。

例文

足で稼ぐ記者になります（貴社のインターンシップに参加しました）

　私が貴社を志望したきっかけは、インターンシップに参加し、週刊○○編集部の米塚健二様と一緒に、店舗取材の仕事をさせていただいたことです。体験前は、どの店も喜んで取材に応じてくれると思っていましたが、実際には門前払いされるほうが多く、地道な仕事であることがわかりました。何度断られてもめげない米塚様に感銘し、貴社で働きたいとの思いが一層強くなりました。入社の暁には、ぜひ、月刊○○編集部で働き、足で稼いだ記事を書きたいと思います。

受かる志望動機❹

経営計画には
見るべきポイントがある

とっつきにくく感じる「経営計画」ですが、
未来への進路を示している点で、入社を志す者に大きく関係します。

● 経営計画は自分の未来と考える

　企業サイトのIR情報（投資家向けの情報）のページには、その企業の経営理念や経営計画が掲載されています。入社前の皆さんにはピンとこないかもしれません。しかし、企業という船が今後どんな方向へ進もうとしているかを示していると考えると、最も関係あるのは、実は皆さんであるということもできます。したがって、**経営計画に関心を向けることは、自分の未来に関心を向けることと同じ**ともいえ、入社への真剣度を測るバロメーターになりえます。

　経営計画が目指すものは、社長をはじめ、経営幹部の言葉に如実に現れます。それだけに社長の言葉は要チェックです。

〔志望動機確認チェック〕
- 志望動機：経営計画に共感して
  共感した理由：＿＿＿＿＿＿＿＿＿＿＿＿＿＿＿＿＿
  将来性を感じた点：＿＿＿＿＿＿＿＿＿＿＿＿＿＿＿
  注目した社長の言葉：＿＿＿＿＿＿＿＿＿＿＿＿＿
  その他、思ったこと：＿＿＿＿＿＿＿＿＿＿＿＿＿
- 入社して貢献できると思うこと・取り組みたいと思うこと：
  ＿＿＿＿＿＿＿＿＿＿＿＿＿＿＿＿＿＿＿＿＿＿＿＿
  ＿＿＿＿＿＿＿＿＿＿＿＿＿＿＿＿＿＿＿＿＿＿＿＿

※全部埋まらなくても可。

左ページのチェックをもとに、下の空所を埋めて文を作成し、ベース文とします。語句や表現は適宜変更してかまいません。ES には、さらに調整を加えて使用しますが、可能ならそのまま書き写してもかまいません。経営計画を引用する際は、引用した事柄が書かれていたページ番号を記載しましょう。きちんと読んだことが伝わります。

〔志望動機の設計（ベース文）〕

見出し：＿＿＿＿＿＿＿＿＿＿＿＿＿＿＿＿＿＿＿＿＿＿＿＿＿＿＿＿＿

※1（　　　　　　　　　　　　　　　　　　　　）

私が貴社を志望したきっかけは、貴社のWebサイトを拝見し、経営計画を知ったことです。貴社は、

＿＿＿＿＿＿＿＿＿＿＿＿＿＿＿＿＿＿＿＿＿＿＿＿＿＿＿＿＿＿＿＿

を目指しているとのことですが、その理由に関する、□□□□社長の

＿＿＿＿＿＿＿＿＿＿＿＿＿＿＿＿＿＿＿＿＿＿＿＿＿＿＿＿＿＿＿＿

というご発言に感銘を受けました。

私も貴社で ※2 ＿＿＿＿＿＿＿＿＿＿＿＿＿＿＿＿＿＿＿＿＿＿

の仕事をして、経営計画実現の一翼を担いたいと考えます。

※1：見出しの補足として、入社後に貢献できること、取り組みたい仕事、配属希望の部署などを、かっこでくくって簡潔に書きます。
※2：入社後に取り組みたい仕事、配属希望の部署など。

例文

社長の言葉に感銘しました（講座システムの開発に携わります）

　私が貴社を志望したきっかけは、貴社の Web サイトを拝見し、中期経営計画を知ったことです。P21〜24で、通信講座の受講生数を202X年度までに□□倍まで増やす目標を掲げておられますが、その理由について△△社長が「子どもが家族といる時間をもっと増やすべき」と主張されているのを見て感銘しました。私も貴社で通信講座の受講システムの開発に携わり、経営計画の一翼を担いたいと考えます。

受かる志望動機❺

プレスリリースから
志望動機を組み立てる

知っていて当然、知らなければ評価を下げるのがプレスリリース。
志望動機の組み立てにも活用できます。

● ほかの志望動機の "補強材" にも使える

　数ある企業情報のなかでも、プレスリリース（報道メディア向けの情報発表。報道発表、ニュースリリースとも）は特に重要です。企業はその情報を、広く知ってもらいたくて発表するからです。入社を志望するなら知っていて当然。逆に、知らなければ評価を下げることになります。**企業サイトや、新聞、ビジネス誌、テレビなどさまざまな報道メディアに目を向け、確実にキャッチ**するよう努めましょう。

　プレスリリースは、志望動機の "補強材" にできます。 リリース日が最近の場合は、当社を志望して日が浅いと疑われるので、日付が数カ月以上前のものと併せて複数取り上げると良いでしょう。

〔志望動機確認チェック〕

● 志望動機：プレスリリースを見て
　プレスリリースの日付：＿＿＿＿＿＿　年　　　　月　　　　日
　その内容：＿＿＿＿＿＿＿＿＿＿＿＿＿＿＿＿＿＿＿＿＿＿＿＿＿

　＿＿＿＿＿＿＿＿＿＿＿＿＿＿＿＿＿＿＿＿＿＿＿＿＿＿＿＿＿＿

　思ったこと：＿＿＿＿＿＿＿＿＿＿＿＿＿＿＿＿＿＿＿＿＿＿＿＿＿

　＿＿＿＿＿＿＿＿＿＿＿＿＿＿＿＿＿＿＿＿＿＿＿＿＿＿＿＿＿＿

● 入社して貢献できると思うこと・取り組みたいと思うこと：

　＿＿＿＿＿＿＿＿＿＿＿＿＿＿＿＿＿＿＿＿＿＿＿＿＿＿＿＿＿＿

左ページのチェックをもとに、下の空所を埋めて文章を作成し、ベース文とします。語句や表現は適宜変更してかまいません。ESには、さらに調整を加えて使用しますが、可能ならそのまま書き写してもかまいません。

〔志望動機の設計（ベース文）〕

見出し：＿＿＿＿＿＿＿＿＿＿＿＿＿＿＿＿＿＿＿＿＿＿＿＿＿＿
　　　　　　　　　　　　　　※1（　　　　　　　　　　　　　　）

私が貴社を志望したきっかけは、
＿＿＿＿＿年＿＿＿＿月＿＿＿＿日付 の報道発表を見たことです。
＿＿＿＿＿＿＿＿＿＿＿＿＿＿＿＿ と報じられていました。
これを読み、＿＿＿＿＿＿＿＿＿＿＿＿＿＿＿＿＿＿＿＿＿
と思ったことから、貴社への入社を志望するようになりました。
入社したら、※2＿＿＿＿＿＿＿＿＿＿＿＿＿＿＿＿＿＿＿＿
で、事業に貢献したいと思います。

※1：見出しの補足として、入社後に貢献できること、取り組みたい仕事、配属希望の部署などを、かっこでくくって簡潔に書きます。
※2：入社後に取り組みたい仕事、配属希望の部署など。

例文

報道発表で志望を決めました（高齢者の気持ちに寄り添います）

私が貴社を志望したきっかけは、貴社の Web ページで、〇〇年△△月××日付のプレスリリースを拝見したことです。高齢者向けの新しいファッションブランドの立ち上げが報じられていました。高齢者が抵抗なく着られる服が少ないことは私も感じていたため、ぜひ携わりたいと入社を志望するようになりました。私は高齢者施設でボランティアの経験があり、お年寄りの気持ちが、多少ですがわかります。入社の暁にはこれを活かし、高齢者の気持ちに寄り添ったファッション事業に貢献したいと思います。

受かる志望動機❻
新聞記事を利用して
説得力を増す

新聞記事の正確性と信頼性はお墨つき。
志望動機の〝補強材〟として活用することができます。

● 志望動機に〝説得力〟が加わる

新聞を古いメディアの代表格と見る人もいますが、**情報量、扱うジャンルの広さ、正確性・信頼性、いずれも新興メディアの追随を未だ許しません。** そもそも「新聞を読まない人はビジネスパーソンとして受け入れがたい」という認識が企業側にあるのは事実。面接で新聞報道に絡めた質問が出ることもしばしばです。就職活動開始を機に「紙」または「デジタル」版の新聞の購読を始めるか、図書館などで目を通す習慣をつけると良いでしょう。なお、図書館の新聞各社の過去記事検索サービスの活用も大変お勧めです。志望企業の記事を過去１〜３年にわたって調べると、事業内容がよくわかります。

〔志望動機確認チェック〕

● 志望動機：新聞記事を見て

新聞記事の日付：＿＿＿＿＿＿＿＿＿　年　　　月　　　日

その内容：＿＿＿＿＿＿＿＿＿＿＿＿＿＿＿＿＿＿＿＿＿＿＿＿

＿＿＿＿＿＿＿＿＿＿＿＿＿＿＿＿＿＿＿＿＿＿＿＿＿＿＿＿＿＿

思ったこと：＿＿＿＿＿＿＿＿＿＿＿＿＿＿＿＿＿＿＿＿＿＿＿

＿＿＿＿＿＿＿＿＿＿＿＿＿＿＿＿＿＿＿＿＿＿＿＿＿＿＿＿＿＿

● 入社して貢献できると思うこと・取り組みたいと思うこと：

＿＿＿＿＿＿＿＿＿＿＿＿＿＿＿＿＿＿＿＿＿＿＿＿＿＿＿＿＿＿

左ページのチェックをもとに、下の空所を埋めて文章を作成し、ベース文とします。語句や表現は適宜変更してかまいません。ESには、さらに調整を加えて使用しますが、可能ならそのまま書き写してもかまいません。

〔志望動機の設計（ベース文）〕

見出し：＿＿＿＿＿＿＿＿＿＿＿＿＿＿＿＿＿＿＿＿＿＿＿＿＿＿

　　　　　　　　　　　　　※1（　　　　　　　　　　　　　）

私が貴社を志望したきっかけは、

＿＿＿＿＿＿＿＿＿＿＿＿＿＿＿＿＿＿＿＿＿＿＿＿＿です。

＿＿＿＿＿＿＿＿＿＿＿＿＿＿＿＿＿＿＿がその理由です。

これに関連した記事が、＿＿＿年＿＿月＿＿日付の＿＿＿新聞

に掲載され、＿＿＿＿＿＿＿＿＿＿＿と報じられていました。

これを読み、入社希望の気持ちがさらに大きくなりました。

入社したら、※2＿＿＿＿＿＿＿＿＿＿＿＿＿＿＿＿＿＿＿＿＿

で、事業に貢献したいと思います。

※1：見出しの補足として、入社後に貢献できること、取り組みたい仕事、配属希望の部署、またはそう思ったきっかけなどを、かっこでくくって簡潔に書きます。
※2：入社後に取り組みたい仕事、配属希望の部署など。

◇◇駅に賑わいを創出したい（新聞記事を読んで決意）

　私が貴社を志望したきっかけは、◇◇駅構内の商業施設の整備に携わりたいと思ったからです。以前から◇◇駅が地域活性の核にならないか考えていましたが、貴社が構内にショッピングモールの整備を計画していると知り、私も参画したいと考えるようになりました。さらに、○○年△△月××日付の□□新聞で、町も全面バックアップする意向と知り、入社を志望する気持ちが一層大きくなりました。入社の暁には、地元出身の感覚を活かし、賑わいの創出に貢献したいと思います。

受かる志望動機❼

取り組みたい
仕事を示す

取り組みたい仕事の明言は「志望動機」の基本です。
通常はひとつに絞りますが、複数挙げて差別化を図る手法も。

● その企業だからこそ「取り組みたい仕事」を示す

　取り組みたい仕事の明示は、**高い目的意識の表れと見なされ、高評価につながる可能性大**です。しかし、それがどの会社でもできる内容なら、かえって評価を下げるかもしれません。その企業への入社を望むからには、**その企業でこそ取り組みたい仕事、その企業だからできる仕事、その企業だからこそやりがいのある仕事**である必要があります。志望動機とする前に、もう一度考えてみましょう。

　取り組みたい仕事がいくつかある場合も、通常はひとつだけに絞ります。あまりジャンルがばらばらだと（例：経理と広報、営業と法務）、「結局、なんでもいいのではないか？」と、仕事への真剣さを疑われかねないので注意が必要です。同じか近似するジャンル（例：総務と経理、広報と宣伝）にして**一貫性をもたせましょう。**

〔志望動機確認チェック〕

● 志望動機：＿＿＿＿＿＿＿＿＿＿＿＿＿ の仕事をしたいため。

　その理由：＿＿＿＿＿＿＿＿＿＿＿＿＿＿＿＿＿＿＿

　　　　　　　※複数ある場合は、それぞれについて記述する。

● その仕事で貢献できると思うこと：

＿＿＿＿＿＿＿＿＿＿＿＿＿＿＿＿＿＿＿＿＿＿＿＿＿

＿＿＿＿＿＿＿＿＿＿＿＿＿＿＿＿＿＿＿＿＿＿＿＿＿

左ページのチェックをもとに、下の空所を埋めて文章を作成し、ベース文とします。語句や表現は適宜変更してかまいません。ESには、さらに調整を加えて使用しますが、可能ならそのまま書き写してもかまいません。

　特に取り組みたい仕事についてきちんと説明したあとなら、ほかに興味がある仕事や将来取り組みたい仕事を追記してもOKです。

〔志望動機の設計（ベース文）〕

見出し：＿＿＿＿＿＿＿＿＿＿＿＿＿＿＿＿＿＿＿＿＿＿＿＿＿＿
　　　　　　　　　　※1（　　　　　　　　　　　　　　　　　）

私が貴社を志望したのは、

＿＿＿＿＿＿＿＿＿＿＿＿＿＿＿＿＿＿＿＿＿＿＿＿＿＿＿＿＿

の仕事をしたいと考えたからです。その理由は、

＿＿＿＿＿＿＿＿＿＿＿＿＿＿＿＿＿＿＿＿＿＿　だからです。

私は、この仕事に取り組んで、

貴社の　＿＿＿＿＿＿＿＿＿＿＿＿＿＿＿＿＿＿＿＿＿＿＿＿＿

に貢献したいと思います。

※1：見出しの補足として、入社後に貢献できること、取り組みたい仕事、配属希望の部署などを、かっこでくくって簡潔に書きます。

例文

使いやすいショッピングサイトをつくる（貴社の売上に貢献）

　私が貴社を志望したのは、Ｅコマース事業部で働きたいと考えたからです。その理由は、私は貴社のサイトを含め、ネット通販をよく利用しますが、貴社のサイトの使用感に大変感銘したからです。私は各サイトの使用感や必要な改善点をノートに記録していますが、これを貴社のショッピングサイトのさらなる向上と運営に活かし、より使いやすくして、売上のアップに貢献したいと考えます。

受かる志望動機❽

キャリアプランを示す

「キャリアプラン」とは、勤務先における自身の将来計画のことです。
ずっと働く意欲があることの表明にもなります。

○ ずっと勤め続ける覚悟

　終身雇用制や年功序列の雇用形態が崩壊した今、中途退社は珍しくなくなり、定年まで同じ会社に勤め続ける人は減りつつあります。とはいえ、企業にしてみれば、採用時にかけた労力と入社後にかけた投資が"水泡に帰す"わけで、許容できる風潮ではありません。企業にとっては、今も**「定年まで働いてもらうこと」が理想**です。

　そのため、社内におけるキャリアアップの条件や道筋を明示した**キャリアパス**を制定する企業が増えています。これを志望動機につなげ、入社後に**取り組みたい仕事を明らかにして**、それにもとづいた**キャリアプラン**を示すと、高評価が得られる可能性大です。**入社への真剣度と定年まで勤めあげる覚悟**の表れと解釈されるからです。

〔志望動機確認チェック〕

● 志望動機： ＿＿＿＿＿＿＿＿＿＿＿ の仕事をしたいため。
　その理由： ＿＿＿＿＿＿＿＿＿＿＿＿＿＿＿＿＿＿＿
● キャリアプラン：
　　20代： ＿＿＿＿＿＿＿＿＿＿＿＿＿＿＿＿＿＿＿
　　30代： ＿＿＿＿＿＿＿＿＿＿＿＿＿＿＿＿＿＿＿
　　40代： ＿＿＿＿＿＿＿＿＿＿＿＿＿＿＿＿＿＿＿
　　50代： ＿＿＿＿＿＿＿＿＿＿＿＿＿＿＿＿＿＿＿

左ページのチェックをもとに、下の空所を埋めて文章を作成し、ベース文とします。語句や表現は適宜変更してかまいません。ESには、さらに調整を加えて使用しますが、可能ならそのまま書き写してもかまいません。

〔志望動機の設計（ベース文）〕

見出し：_____

※1（　　　　　　　　　　　　　　　　　　　）

私が貴社を志望したのは、

_____

の仕事をしたいと考えたからです。その理由は、

_____ だからです。

私は、この仕事に取り組むことで貴社に貢献し、

次のようにキャリアアップしていくことを目指します。

20代で、_____

30代で、_____

40代で、_____

50代で、_____

このキャリアプランが実現するよう、真剣に取り組んでまいります。

※1：見出しの補足として、入社後に貢献できること、取り組みたい仕事、配属希望の部署などを、かっこでくくって簡潔に書きます。

例文

将来的に企画に携わりたい（示談交渉でキャリアアップを目指す）

私が貴社を志望したのは、会社説明会で自動車保険事業についてお話をうかがい、示談交渉の仕事に関心をもったからです。「自動車保険は単なる金銭保障でなく、心も保障する」とのお話に共感しました。私は30代まで現場の仕事に取り組み、その経験を活かして、40代からは新しい保険商品の企画に携わりたいと考えています。このキャリアプランが実現するよう、真剣に取り組んでまいります。

受かる志望動機❾
複数の企画案を
挙げる

「やりたい仕事を示す」の別バージョンです。
独自の企画案を提示して、その熱意をアピールします。

● 提示する企画案はできるだけ多く

　少々変則的なパターンです。**「取り組みたい仕事」**を示す点は
P.134 〜 135 と同様ですが、そのための**具体的な方法を提案**して、
熱意と企画力をアピールする点が違います。いわば、こちらからセー
ルスする形なので、**自己 PR の要素が大きい**といえるでしょう。

　ポイントは**独自の企画案を複数用意**すること。ひとつや２つでは
ダメです。先方は**多くのアイデア**を期待します。「取り組みたい仕
事なら、それくらい当然」ということ。ただし、全部書くのは無理
なので、「あとは面接で披露します」と〝予告〟するのも良いでしょう。

　また、当然ながら斬新なアイデアが期待されます。**ありきたりな
アイデアの提示は、かえって逆効果**になるので注意しましょう。

〔**志望動機確認チェック**〕

● 志望動機：＿＿＿＿＿＿＿＿＿＿＿＿　の仕事をしたいため。
　その理由：＿＿＿＿＿＿＿＿＿＿＿＿＿＿＿＿＿＿＿＿
　企画案１：＿＿＿＿＿＿＿＿＿＿＿＿＿＿＿＿＿＿＿＿
　企画案２：＿＿＿＿＿＿＿＿＿＿＿＿＿＿＿＿＿＿＿＿
　企画案３：＿＿＿＿＿＿＿＿＿＿＿＿＿＿＿＿＿＿＿＿
　企画案４：＿＿＿＿＿＿＿＿＿＿＿＿＿＿＿＿＿＿＿＿
　企画案５：＿＿＿＿＿＿＿＿＿＿＿＿＿＿＿＿＿＿＿＿

※企画案はできるだけ多いほうがよい。

左ページのチェックをもとに、下の空所を埋めて文章を作成し、ベース文とします。語句や表現は適宜変更してかまいません。ESには、さらに調整を加えて使用しますが、可能ならそのまま書き写してもかまいません。

〔志望動機の設計（ベース文）〕

見出し:＿＿＿＿＿＿＿＿＿＿＿＿＿＿＿＿＿＿＿＿＿＿＿＿＿
　　　　　　　　　　　※1（　　　　　　　　　　　　　　　　）

私が貴社を志望したのは、

＿＿＿＿＿＿＿＿＿＿＿＿＿＿＿＿＿＿＿＿＿＿＿＿＿＿＿＿＿＿

の仕事をしたいと考えたからです。その理由は、

＿＿＿＿＿＿＿＿＿＿＿＿＿＿＿＿＿＿＿＿＿＿＿　だからです。

今回、＿＿＿＿＿＿＿＿＿＿＿＿＿＿＿＿＿＿＿　にもとづいて、

そのためのアイデアを ＿＿＿＿＿ つ考えました。

※1：見出しの補足として、入社後に貢献できること、取り組みたい仕事、配属希望の部署などを、かっこでくくって簡潔に書きます。

企画案のヒントを得る方法を紹介します。①同業他社の経営計画を読み、将来目標としているビジネスモデルを合わせてアレンジする。②国内外の有力企業の成功しているビジネスモデルを応用する。③AI、IoTなどの最先端のITをビジネスに応用する。

例文

パッケージデザインの仕事を志望（デザイン案を10持参します）

私が貴社を志望したのは、パッケージデザインの仕事に携わりたいと考えたからです。私は昔から、貴社の高級感ある製品パッケージが大好きで、中学生の頃には、空き箱を集めていたこともありました。ぜひ自分でデザインしたいと考え、入社を志望いたしました。今回、私はクッキーボックスの新しいデザイン案を10パターン考えました。面接で、ぜひ披露させていただきたいと思います。

受かる志望動機❿

専門知識・専門能力・資格を どう活かすか

「もっている専門的な知識や資格を活かしたい」という志望動機は、
具体的に「何に活かすか」が問われます。

◯ 知識や資格をどこで活かすかがポイント

ほかとは少々ニュアンスが異なる志望動機です。ほかの志望動機
は「企業が求めるものにこちらを寄せる」という方向性ですが、専
門知識や資格が志望動機の場合は「こちらがもっているものを志望
企業に〝セールス〟する」というベクトルになります。そのため「そ
の企業でなければならない」という**必然性が希薄になるおそれもあ
る**ので注意しなければなりません。

ポイントは、もっている専門知識・専門能力・資格を、**志望企業
のどんな場面で活かすことができるか、具体的に示すこと**です。希
望部署を記すと良いでしょう。

ただ、資格に直結する部署は容易ですが、それ以外は合理的な理
由が必要です。

〔志望動機確認チェック〕

● **志望動機**：専門知識・専門能力・資格を活かすため。

もっている資格や能力など：＿＿＿＿＿＿＿＿＿＿＿

資格・能力が活かせる場面：＿＿＿＿＿＿＿＿＿＿＿

● **入社して貢献できると思うこと・取り組みたいと思うこと**：

＿＿＿＿＿＿＿＿＿＿＿＿＿＿＿＿＿＿＿＿＿＿＿

＿＿＿＿＿＿＿＿＿＿＿＿＿＿＿＿＿＿＿＿＿＿＿

左ページのチェックをもとに、下の空所を埋めて文章を作成し、ベース文とします。語句や表現は適宜変更してかまいません。ESには、さらに調整を加えて使用しますが、可能ならそのまま書き写してもかまいません。

〔**志望動機の設計**（ベース文）〕

見出し：＿＿＿＿＿＿＿＿＿＿＿＿＿＿＿＿＿＿＿＿＿＿＿＿＿＿＿

※1（　　　　　　　　　　　　　　　　　　）

私が貴社を志望したきっかけは、私がもっている、

＿＿＿＿＿＿＿＿＿＿＿＿＿＿＿＿＿＿＿＿＿＿＿＿＿＿＿＿＿＿＿

を活かしたいと考えたからです。以前より、

＿＿＿＿＿＿＿＿＿＿＿＿＿＿＿　の仕事に就きたいと考え、

この資格を取得しました※2。

入社したら、ぜひ　※3＿＿＿＿＿＿＿＿＿＿＿＿＿＿＿＿＿＿＿

の仕事で、資格を活かしたいと考えます。

※1：見出しの補足として、入社後に貢献できること、取り組みたい仕事、配属希望の部署などを、かっこでくくって簡潔に書きます。
※2：資格や能力の取得にかけた苦労を付記してもよい。
※3：入社後に取り組みたい仕事、配属希望の部署など。

取得資格などを表にまとめて会社説明会やインターンシップなどで会った社員に見せて、アドバイスをもらうのも手です。

例文

スピーディーな経理処理を目指します（簿記2級を取得）

私が貴社を志望したきっかけは、簿記2級の資格を活かしたいと考えたからです。以前より経理の仕事に就きたいと考え、それには簿記の資格が必須と、大学入学直後から勉強を開始しました。学業とアルバイトの合間の時間を有効活用して勉強し、2級を取得することができました。入社後はぜひ経理部でこの資格を活かし、スピーディーな処理を目指したいと思います。

受かる志望動機⓫

○B・○G訪問／店舗訪問から
志望動機を組み立てる

就活で欠かせない「OB・OG訪問」の際に聞いた話から
志望動機を組み立てる方法で、"定番"ともいえます。

● 複数の○B・○Gを訪問しよう

OB・OG訪問で得た話を盛り込んだ志望動機は、組み立て方と
してはオーソドックスですが、具体的で説得力のある文になります。
特に、**入社後に取り組みたい仕事**を明示する場合、その理由に
OB・OG訪問で得た話を加えると、それが"補強材"になってよ
り印象が強まります。具体性を高めるため、訪問した**OB・OGの
名前（フルネーム）と部署名を記す**のがベスト。また、**複数のOB・
OGを訪問**したことを記すと、熱意と行動力の評価につながります。

OB・OG訪問のほか、**会社見学・店舗見学**をして、思ったことや
わかったこと、社員と話して知ったことなどを書くのも効果的です。

〔志望動機確認チェック〕

● 志望動機：＿＿＿＿＿＿＿＿＿＿＿＿＿の仕事をしたいため。

● 訪問したOB・OG※：

　1.＿＿＿＿＿＿＿＿＿＿＿＿＿ 様

　　知ったこと・思ったこと：

　　＿＿＿＿＿＿＿＿＿＿＿＿＿＿＿＿＿＿＿＿＿＿＿＿

　2.＿＿＿＿＿＿＿＿＿＿＿＿＿ 様

　　知ったこと・思ったこと：

　　＿＿＿＿＿＿＿＿＿＿＿＿＿＿＿＿＿＿＿＿＿＿＿＿

※訪問したOB・OGの名前と部署名を書きます。

左ページのチェックをもとに、下の空所を埋めて文章を作成し、ベース文とします。語句や表現は適宜変更してかまいません。ESには、さらに調整を加えて使用しますが、可能ならそのまま書き写してもかまいません。

〔志望動機の設計（ベース文）〕

見出し：＿＿＿＿＿＿＿＿＿＿＿＿＿＿＿＿＿＿＿＿＿＿＿＿＿＿

※1（　　　　　　　　　　　　　　　　　　　　　　）

私が貴社を志望したのは、＿＿＿＿＿＿＿＿＿＿＿＿＿＿＿の仕事をしたいからです。そのため、貴社に勤務されている私の大学の先輩 ＿＿＿ 人にお会いし、お仕事の実際についてうかがいました。

1. ※2＿＿＿＿＿＿＿ → ＿＿＿＿＿＿＿ についてうかがいました。

2. ＿＿＿＿＿＿＿ → ＿＿＿＿＿＿＿ についてうかがいました。

3. ＿＿＿＿＿＿＿ → ＿＿＿＿＿＿＿ についてうかがいました。

先輩方のお話はいずれも感銘深く、志望の気持ちがさらに大きくなりました。

入社したら ＿＿＿＿＿＿＿＿＿＿＿＿＿ したいと考えます。

※1：見出しの補足として、入社後に貢献できること、取り組みたい仕事、配属希望の部署などを、かっこでくくって簡潔に書きます。
※2：訪問したOB・OGの名前と部署名を書きます。人数は必要に応じて増減させます。

例文

OB3人とお会いしました（中小企業への融資の仕事を志望）

私が貴社を志望したのは、町の中小企業をサポートする融資の仕事に携わりたいと思ったからです。そこで、貴社に勤務されている私の大学の先輩3人にお会いし、お話をうかがいました。

　　本店第一融資部の松本翔太様 → 融資事業全般について

　　A支店営業部の桐谷耕多様　 → 中小企業支援の実際について

　　B支店営業部の浜谷岳人様　 → 中小企業融資の現状について

先輩方のお話はいずれも興味深く、入社したいという気持ちがさらに大きくなりました。

受かる志望動機⓬

志望動機に
自己PRを書く

資質・特技・能力・長所も志望動機の説明に使えます。
なんの仕事をしたいか、最初から明言してしまいましょう。

○ 「取り組みたい仕事」と絡めて自己PRする

　P.140 〜 141 で解説した、自身がもっている「専門知識・専門能力・資格」の活用を志望動機とする構成は、**素質や能力、特技、その他自分の「長所」**を当てはめることもできます。いわば、**志望動機で自己PR**をしてしまうわけです。リーダーシップやチームワーク、体力などが考えられますが、これらは合格証や免許証のような証明書がないので、これまでの実績を簡潔に書き添え、具体性をもたせる必要があります。志望先が「その企業でなければならない」という**必然性が弱くなる**ことも免許・資格をアピールするときと同じ。素質や特技が仕事の**どんな場面で活かせるか**、前もって調べておきましょう。最初から**「取り組みたい仕事」**を明言してしまうのが得策です。

〔志望動機確認チェック〕

● 志望動機：素質・能力・特技などを活かすため。

　PRする素質・特技：＿＿＿＿＿＿＿＿＿＿＿＿＿＿＿＿

　それが活かせる仕事：＿＿＿＿＿＿＿＿＿＿＿＿＿＿＿

● 入社して貢献できると思うこと・取り組みたいと思うこと：

　＿＿＿＿＿＿＿＿＿＿＿＿＿＿＿＿＿＿＿＿＿＿＿＿＿

　＿＿＿＿＿＿＿＿＿＿＿＿＿＿＿＿＿＿＿＿＿＿＿＿＿

左ページのチェックをもとに、下の空所を埋めて文章を作成し、ベース文とします。語句や表現は適宜変更してかまいません。ESには、さらに調整を加えて使用しますが、可能ならそのまま書き写してもかまいません。

〔志望動機の設計（ベース文）〕

見出し:＿＿＿＿＿＿＿＿＿＿＿＿＿＿＿＿＿＿＿＿＿＿＿＿＿＿＿＿＿

※1（　　　　　　　　　　　　　　　　　　　　　　　　　　　）

私が貴社を志望したのは、私の　※2＿＿＿＿＿＿＿＿＿＿＿＿＿＿＿を

※3＿＿＿＿＿＿＿＿＿＿＿＿＿＿＿＿＿＿＿＿＿＿＿＿＿＿＿＿＿＿＿＿

で活かしたいと考えたからです。

※4＿＿＿＿＿＿＿＿＿＿＿＿＿＿＿＿＿＿＿＿＿＿＿＿＿＿＿＿＿＿＿＿

入社したら、仕事でこれを活かしていきたいと考えます。

※1：見出しの補足として、入社後に貢献できること、取り組みたい仕事、配属希望の部署などを、かっこでくくって簡潔に書きます。
※2：アピールしたい素質・能力などの「長所」を書きます。
※3：素質や能力などが活かせると考える仕事や場面を書きます。
※4：素質・能力などの実績を簡潔に書きます。

このタイプの志望動機をつくる方法には、会社説明会やインターンシップなどで会った社員に、自分の素質、能力、特技、長所などを箇条書きで具体的に書き出したノートを見せて、「これらが活かせる貴社の業務・場面はあるでしょうか？」と聞く手があります。

例文

朝から夕方まで歩き続ける自信があります（営業の仕事を志望）

私が貴社を志望したのは、私の体力を営業の仕事で活かしたいと考えたからです。私は高校時代にワンダーフォーゲル部に所属し、何度も長時間の山歩きを経験しました。このときに鍛えた基礎体力があるので、どんなに長時間の外回り営業にも対応できる自信があります。入社したら、この体力で売上ナンバー1を目指します。

column4

"すべり止め"の志望動機を
書けますか?

　就活シーズンも中盤を過ぎ、多くの学生が内定を獲得する
だいたい4年生の5月以降になると、毎年決まって寄せられ
る相談があります。「志望度が低い企業にも落とされてしま
いました。どうしたらいいでしょう?」というものです。

　ところが、落胆する学生に、その"すべり止め"の企業に
ついてどれくらい知っているか聞いてみると、十中八九、満
足な答えは返ってきません。「社長のフルネーム」「売上の主
力」「最近のプレスリリース」——こうした基本事項さえ「わ
かりません」と答えるケースも珍しくないのです。つまり、
企業研究がまったくできていないわけです。

　志望度が低い企業の研究に身が入らない気持ちもわからな
いではありません。しかし、その企業を上位志望にしている
就活生は必ずいて、徹底的な企業研究をしているはず。それ
はESや面接に反映され、熱意は採用担当者に伝わります。
そんなライバルに勝てるわけがありません。

　志望順位をつけるのは自然なことです。とはいえ、取り組
む姿勢にまで差をつけたら、内定獲得は難しくなります。企
業研究は志望順位にかかわらず、等しく力を注ぐべきです。
また、志望度は仮に低くても、受けようと思った理由は必ず
あるはず。再考してみてください。

　企業研究に取り組むと、それまで見えていなかった特色が
見えるようになります。すると、その企業に対する印象や認
識が変わり、志望順位が上がるのもよくあることなのです。

特殊な質問にどう答える?

特殊な質問も、実はベースは「志望動機」です。
質問の行間には「当社で仕事をする場合」あるいは
「当社に就職したら」というワードが隠れています。
仕事をするうえで、どう考え、どう行動するか。
その前提を外さなければ、
正解を導き出せるはずです。

特殊な質問の類型化

出題の意図を
見きわめる

設問のなかにはどう答えたらいいか、とまどってしまうような質問も
散見されます。こういった出題の意図はなんでしょう?

● 回答に窮する質問も

　各社の ES を見ると、思わず回答に窮するような質問が散見され
ます。各社の〝個性〟も感じられて興味深いのですが、就活生の皆
さんには切実な問題。どう書けばいいか、途方に暮れる人も少なく
ないでしょう。とはいえ、採用側が ES を課す目的が**「応募者の人
物像を把握し、自社の戦力に値するか見きわめるため」**であること
を考えれば、対応への〝道筋〟は見えてきます。

　特殊な質問は、いわば直球ではなく変化球。しかし、どんな魔球
も球筋が見えれば打ち返すことができるように、**特殊な質問も、そ
の意図を把握すれば、的確に回答することができます。**

● まず質問の意図を考える

　ES の設問は、**性格や価値観などパーソナリティを見る質問、思
い描く将来のキャリアプランなど理想像を見る質問、志望する企業・
業界の理解度を測る質問**におおむね分類できます。特殊な質問も、
このいずれかのカテゴリに入ります (右ページ参照)。

　とまどってしまうような質問が設定されていた場合は、まずその
質問がどのカテゴリに属するかを考えてください。そのうえで、そ
のカテゴリに対応した回答を考えましょう。ポイントは志望先の仕
事に関連づけて「どう考えるか」「どう動くか」を考えることです。

〔回答にとまどう質問の例〕

1. パーソナリティに関する質問（性格、価値観などを知る）

- ○ 最近感動したことはなんですか？
- ○ 最近腹が立ったことはなんですか？
- ○ 最近関心があることはなんですか？
- ○ 最近どんな本を読みましたか？
- ○ あなたは人からどう思われていますか？
- ○ あなた自身を漢字1文字で表すと？
- ○ あなた自身を色で表現すると？
- ○ あなたの信念は？

2. 理想像に関する質問（将来設計・将来目標などを見る）

- ○ あなたの夢はなんですか？
- ○ 10年後はどんな世の中になっていると思いますか？
- ○ 10年後はどんな自分になっていたいですか？
- ○ もし、桃太郎になったら？

3. 企業・業界に関する質問（企業や業界の理解度を測る）

- ○ 当社にどのようなイメージをもっていますか？
- ○ 当社のWebサイトを見てどう思いましたか？
- ○ 当社のCMを見てどう思いましたか？
- ○ 当社の発展には何が必要だと思いますか？
- ○ 当社と他社の違いはなんだと思いますか？
- ○ この業界の課題や問題はなんだと思いますか？
- ○ どのような商品（サービス）をつくってみたいですか？
- ○ 今、いちばん会ってみたい人は誰ですか？
- ○ アフターコロナの状況下で企業が収益を増やすには？

最近感動したことは なんですか?

では、「特殊な質問」への対策を検討していきましょう。
まず「最近感動したこと」から。質問の意図を探ります。

◯ 何についての感動や喜びを問われているのか

　「感動したこと」に関する質問は、比較的よく出されるもののひとつです。「最近感動したことはなんですか?」や「今まででいちばん感動したことはなんですか?」がオーソドックスな質問形式。「今まででいちばん楽しかったことは?」「これまでで最もうれしかったことは?」なども同系統と考えて良いでしょう。また「人生で最大のチャレンジは?」なども〝変形版〟と考えることができます。

　いずれも感動や喜びの体験が問われているわけですが、ポイントになるのは体験の中身、つまり何に感動し、何を得たか、あるいは学んだか、です。もちろん人によってさまざまですが、感動した映画や小説を聞かれているわけではないことに注意してください。

◯ 能動的な感動体験を答えよう

　この系統の質問に期待されている回答は「何かを観て・読んで感動した」といった受動的な感動体験ではなく、**「何かをして(取り組んで)感動した」という能動的な感動体験**です。具体的には、スポーツやサークル活動、学業、アルバイト、資格取得などに取り組み、困難や苦労を乗り越えて目標を達成した感動体験が該当します。

　そのうえで、感動体験から何を得たか、あるいは学んだかが問われます。つまり、**入社後、仕事の厳しさを乗り越えた先にある感動**

や喜びを実感できる感性があるかを見きわめること。それがこの系統の質問の真意です。

　とはいえ、そうした能動的な感動体験に乏しい人もいるでしょう。そんな場合は"次善の策"になりますが、**受動的な感動体験を能動的な感動体験に転換する**方法も試してください。

　たとえば、映画を観て感動したのであれば、単に「感動した」事実だけを書くのではなく、そこから生き方の教訓を得た、仕事への心がまえを学んだ、といったことを書くことで、能動的な感動体験に転換できます。

　ただ、自分の取り組みにもとづく感動体験ではないので、インパクトに欠ける点は否めません。もう一度自己分析をして、能動的な感動体験をしたことが本当にないのか、検証してみてください。

例文

会員一丸でつかんだ感動の公演（応援得て過去最高の観客動員）

演劇研究会に所属しています。結成20周年記念公演を学外で行うことになり、費用を捻出するため、前売り券をひとり30枚売るノルマが課せられました。合計600枚。余ったら自腹でしたが、全員が友人・知人、親類・縁者まで頼ってセールスし、売り切ることができました。しかも、当日券で来場された観客の方々も多く、結果的に来場者数は過去最高の750人になりました。前売り券を買ってくれた方々が、周囲に宣伝してくれたおかげです。お客様の応援に感動するとともに、人と人とのつながりの大切さを実感しました。

ポイント

◎チームワークでノルマを達成したことに加え、周囲の応援と支えで公演が成功したことの感動をつづっています。感動体験を仕事にどう活かすか、抱負を述べられるとなおよいでしょう。

特殊な質問への答え方❷

最近腹が立ったことは なんですか？

近年「怒り」に関する質問をよく見るようになりました。
何に腹が立ち、どう対応するかが回答のポイントです。

● 就職後は怒りの抑制が必要になる

就職すると「腹が立つこと」が多くなります。しかし、いちいち感情的になっては仕事が進みません。ドラマや小説では、主人公が怒りを露わにして痛快に困難を打開するといった展開もありますが、そうしたくてもできないのが現実。大半のビジネスパーソンは、怒りをグッとこらえて業務に取り組んでいるわけです。

「最近腹が立ったことはなんですか？」をはじめ「どんなことにムカつきますか？」「許せないと思うことはなんですか？」「嫌いな人はいますか？」など「怒り」に関連する質問は、いずれも**業務におけるアンガーコントロール（怒りの感情の制御）や、何に対して怒るか、怒りにどう対応するか、などを見る**ものです。

●「自分自身に腹が立つ」が最もオーソドックス

この系統の質問の回答は、まず怒りの対象がポイントになります。政治・外交、社会、宗教の問題は避けるのが無難。また、公人・私人を問わず、個人への怒りも、読み手はいい気分がしません。まして、「自分の希望が通らなかった」などのあまりに身勝手な怒りや、「アドバイスに対する反発」などのいわゆる"逆ギレ"は論外です。

結局のところ、最適なのは自分自身に怒りを向けることです。つまり、自分の能力不足や失敗に腹が立ったという回答にします。ここで

大切なのは、必ず改善策を添えること。怒りを鎮める方法や今後怒らないための備えを付記します。単なる「怒りの発露」はNGです。

● 腹が立たない人はどうする？

　めったに怒らない人はどう答えたらいいでしょう。正直に「ない」と答えてかまいませんが、**なぜ腹が立たないのか、合理的な理由は必要**です。たとえば「不快な気分でいるより、早く問題解決に着手するほうが建設的だから」といった理由が考えられますし、「腹が立たない自分に腹が立つ」という論法もありえます。

　ただ、自分にも自分以外にも腹を立てないのは、現状に満足し切っているといえば聞こえはいいかもしれませんが、悪くいえば「甘んじている」ことになり、ビジネスパーソンとしては歓迎されません。**「怒り」は創造や革新の原動力**にもなります。プラスにつながることでしたら、ときには怒ってみるのもいいでしょう。

例文

日にちを間違えた自分自身に激怒（予定の管理を徹底化）

TOEIC®のテスト日を間違え、受験しそびれたことです。3カ月も前から毎日、スコアUPのための勉強をしていたのに、なぜか曜日だけ覚えていて、日付を1週間間違えていました。気づいたのは試験日から3日も経ってからです。なぜ日付を確認しなかったのか、機会は何度もあったのに、自分の愚かさに怒り心頭でした。このとき以来、記憶に頼る態度をあらため、予定は部屋のカレンダー、スマートフォン、手帳の3つに記入することにしました。24時間前と6時間前にはスマホのアラームが鳴るようにも設定しています。

ポイント

● 自分自身の失敗を怒りの対象にし、その反省を踏まえた改善策を記述しています。予定の管理の厳格化に加え、英語の勉強に力を入れていることもPRでき、ダブルのPRが巧みです。

特殊な質問への答え方❸

会ってみたい人は
誰ですか?

真意を量りかねる設問です。どのような人にどうして
「会いたい」のか……単なる「憧れの人」ではなさそうです。

○「当社の仕事をするに際して」を前に置いて考える

誰にも「会いたい人」がいるものです。家族、親友、パートナーのほか、憧れる芸能人や歴史上の人物という人もいるでしょう。しかし、この質問が求めているのは、そうした人たちではありません。

P.149の〔回答にとまどう質問の例〕をみてください。この質問は〔3.企業・業界に関する質問〕のカテゴリーにあります。実は「今、いちばん会ってみたい人は誰ですか?」の前には**「当社の仕事をするに際して」という言葉が隠れている**のです。

となると、この質問の最適解は、**志望企業の事業に関係がある人、関係すると期待される人**を挙げる、ということになります。

○選考側が「会いたい人物」に求める2つの条件

この設問を出す採用側の意図はおもに2つあります。

❶社会に幅広くアンテナを張っているかのチェック

❷売れる企画を考える着眼点をもっているかのチェック

❶の条件を満たす回答は、できるだけほかの志望者と被らない人物を挙げることがポイントになります。ほかと被るありきたりの人物を選ぶと、情報収集力が低いと見なされ、評価を下げてしまいます。

❷の条件を満たす回答は、志望企業の商品やサービスの売上に貢献しそうな人物を選ぶことです。ビジネスにまったくプラスになら

ない人物を選ぶと、ビジネス感覚が低いと見なされてしまいます。

● 選択の基準は「志望先のビジネスにプラスになる人」

どんな人物がふさわしいかを、業種別に考えてみます。

出版社でこの質問が出されたら、取材や執筆を依頼したい人物と考えましょう。読者のニーズに応える、端的にいえば売れる企画・書籍をつくれる人物が選択の基準になります。広告会社ならCMで起用したい人物を考えてみてください。どんな人物なら消費者を引きつけるCMがつくれるか検討しましょう。新聞社であれば取材対象です。

上記以外の業界も人物選択の基本方針は同じ。**その業界・企業のビジネスでプラスになる人物を選ぶ**ことが大切です。また、「あなたが影響を受けた人は?」など、具体的な人物を挙げる類似の質問も、志望先の仕事を〝鍵〟に回答を考えてみてください。**「この業界を志望するきっかけとなった人物を挙げる」**などが、その好例です。

尾畠春夫さんを取材して、 ボランティアの真髄をお聞きしたいです

スーパーボランティアとして知られる尾畠春夫さんにお会いしたいです。行方不明の子どもの捜索や、被災地での支援活動など、一時期は毎日のようにその姿が報じられましたが、次第にメディアの扱いは小さくなり、今では人々の記憶から忘れられかけていると感じます。尾畠さん自身は、変わらずに活動を続けられていると思いますが、熱しやすく冷めやすい日本社会に真のボランティアは根づくのか、尾畠さんにお話をうかがって考察し、記事にまとめたいと思います。

ポイント

● 新聞社を想定した例文です。選択した人物の知名度は高く、民間人なので、評価は分かれるところですが、世間の関心が薄くなった今だからこそ記事にまとめたいという企図はユニークです。

特殊な質問への答え方❹
あなた自身を
漢字1文字で表すと？

セルフイメージを問う質問です。同系統の設問は数多くあります。
発想力が問われるため、意外に難問です。

● クリエイティブ質問の典型

　セルフイメージを問う質問は、ESでも面接でも、昔から非常によく出されます。形式はバラエティに富み、**漢字のほかにも、色、花、キャッチフレーズ**など実に多彩。最近では「ハッシュタグ（#）で表現せよ」と出題した企業もありました。

　就活生にとっては、ストレートに**「あなたはどんな人ですか？」「人からどう思われていますか？」**などと問われるよりもはるかに頭を悩ませる質問のようです。**自己分析能力とともに発想力も求められる、典型的なクリエイティブ質問**だからでしょう。合理的な理由づけが必要な点も、難問意識を強めてしまっているようです。

● 突出した発想力が問われる

　この質問で出題者が注視するのは**発想力と理由づけ**です。**独創的な発想**をしているか、**自己PRや志望理由に結びつけた根拠を示せているか**を見ています。この出題意図に的確に答え、かつ、いかにほかの志望者に比べて突出した発想ができるかが、"鍵"です。

　したがって、ほかの人と被るような"ありきたりの漢字"では、クリエイティブな発想力が感じられず、高評価を得られないでしょう。発想力が命の広告業界なら、ほぼ間違いなく落とされます。万人のうちたったひとりになれる発想力が広告業界には必要です。

● 漢和辞典を調べよう

ほかのライバルより突出しようと思うなら、**漢和辞典を調べて平凡ではない漢字を選びましょう。**滅多に読めないようなレア漢字である必要はありませんが、WEBエントリーシートの場合は、パソコンで表示可能な**JIS第2水準までの漢字**は候補になります。

たとえば、以前「彎」を書いた学生がいました。自己PRでアピールしたクラシックバレエ経験に絡め、それにちなんだ漢字を漢和辞典で探したとのこと。クラシックバレエの「彎曲の美」と、厳しいトレーニングをアピールしていました。

少なくとも「心」「力」「親」「友」といった、**小学校低学年レベルの単純な漢字は、どの業界であっても避けるべき**です。そして理由づけには、自己PRや志望動機と**自然な形で関連させる**工夫をしましょう。強引な理由づけでは説得力が希薄になってしまいます。

「魔」です。仕事にも真剣に取り組みます。

「魔」は悪い意味をもつ漢字ですが、不思議な力や、物事に集中して取り組む人に対しても用います。私は小学校時代からなんでもメモ帳に記録する「メモ魔」であり、高校時代は暗くなるまで部活（陸上部）に取り組む「練習魔」であり、今は居酒屋で毎日4時間アルバイトする「仕事魔」です。何事にも真剣に取り組む「魔」の精神を今後も忘れず、競合企業各社の社員たちから「営業の大魔神」と恐れられる存在となるよう頑張ります。

ポイント

○さほど珍しい選択ではなく、ありきたり感もありますが、悪い意味が先行するこの漢字の「良い意味」を理由づけにしている点は面白い。入社後の仕事に絡めたのも良いでしょう。

PART **4** 特殊な質問にどう答える？

157

特殊な質問への答え方❺

10年後の世の中は
どうなっていると思いますか？

出題意図がわからないと感じるかもしれません。
ですが、やはり、単なる予測を聞いているわけではありません。

○なぜ「世の中」なのか

将来の展望に関する質問も比較的メジャーです。最もオーソドックスな質問は**「10年後のあなたはどうなっていると思いますか？」**でしょう。

　表題の質問も同系統に分類されますが、とまどうのは**「世の中」**の3文字が入っている点だと思います。日本の未来予測を聞いているのでしょうか。違います。この質問は**「志望企業に入社して10年経った頃に自分はどうなっていたいか」**を聞いているのです。

> 10年後の世の中はどうなっていて、

> 志望企業はどんなビジネスを展開・発展していて、

> 自分はどんな部署で、どんな貢献をしているか。

……ということ。要するに、**将来ビジョンを研究し、キャリアプランを考えているかをチェックすること**が出題者の意図です。

○なぜ「10年後」なのか

　企業活動は経済をはじめとする社会活動の一翼を担っています。必然的に、将来の社会には将来の企業も大きく関係します。そこで「自分はどう関与するつもりか」を聞いているわけです。

「10年後」といえば30歳代前半。社内キャリアは中堅に差しかかる頃で、事業の中核を担う立場にある人が多くなっているはずです。**具体的なキャリアプランを描きやすい未来**といえます。

●まず「経営計画」をチェックしよう

対策としては、志望企業のWebサイトで**経営計画や将来ビジョンを把握**し、それをもとに取り組みたい仕事を想定して、キャリアプランを立てると高評価を得られるでしょう。回答には「貴社の経営計画を読んで考えたのですが」「会社説明会で貴社の〇〇様が話しておられた将来ビジョンをもとに考えたのですが」といったように、**企業研究したことを根拠として付記する**といいでしょう。

可能であれば、考えたキャリアプランを会社説明会やOB・OG訪問の際に社員に見てもらって意見を聞いてください。そのうえで、企業の実情や方針と合ったものに修正すると、より良い回答になります。

例文
インドネシアでの事業責任者として貢献したいです

10年後、日本とASEAN諸国の関係は、現在より緊密になっていると思います。そのなかで貴社の事業価値も、一層高まると考えます。貴社のWebサイトで中期経営計画を拝見し、ASEAN事業を再加速させることを知りました。私はぜひこの計画に参画したく思います。語学留学で培った英語力を活かし、ジャカルタ工場に赴任して、10年後には現地の責任者としてASEAN事業をリードしたいと考えます。現地に骨をうずめる覚悟で取り組みます。

ポイント

◎10年後の予測を踏まえて、志望企業で貢献する意欲を述べています。キャリアについて具体性があったほうが良いかもしれません。語学力について自己PRを入れているのは良いでしょう。

159

当社の発展のために
必要な企画は？

提案型の質問もよくあります。入社を志望するのであれば、
具体的な提案をいくつか用意しておきましょう。

● 近年増えている「提案型」の質問

　志望者から**事業や企画の提案を募る質問**も以前から数多くあります。**「どんな新商品をつくってみたいですか？」「どんなサービスを立ち上げてみたいですか？」** などが代表的な例。**「どんな仕事に取り組んでみたいですか？」** も類似の質問と考えて良いでしょう。この変形版には**「当社という舞台で仕事を通じて実現したい夢はなんですか？」「世界を幸せにするためのあなたのアイデアは？」「当社は今後、どんなことに力を入れたらよいと思いますか？」** といったものもありました。こうした提案型の質問は、近年増えています。

● 経営計画に沿った企画を考える

　さて表題の質問ですが、正確には**「当社が発展するためにはどのような企画が必要だと思いますか？」** というものでした。注目すべきなのは「発展するためには」という部分です。**「経営計画・事業計画にもとづいた提案」** を求めていることは明らかです。

　となれば、まずは**志望企業の Web サイトにアクセス**しましょう。会社概要や、上場企業なら IR 情報などを参照しましょう。これにより、企業が将来、どんな事業展開を図ろうとしているかがわかります。そのうえで、その方針に沿った企画を考えます。

　企画の提案には、**客観的なデータを添える**ようにしましょう。数値

的な裏づけがないと、単なる〝思いつき〟と見なされ、評価を下げてしまいます。まして経営計画とはまったく関係ない提案は論外です。

● 裏づけデータの入手先を把握しておこう

　裏づけデータはインターネットで容易に入手できます。信頼度の高い入手先を選ぶこと。基本は**新聞**など報道機関がいいでしょう。政府がまとめた各種白書や統計データは、**内閣府はじめ各省庁、政府系機関**のサイトから入手できます。**地方自治体、業界団体、公益法人**などにも参考になるデータが多くアップされています。トレンドや未来予測は**民間シンクタンク**のサイトが役に立ちます。

　〈政府系機関〉
　　　● 内閣府　　　https://www.cao.go.jp　＊各種統計情報や白書を入手可能
　　　● e-Stat　　　https://www.e-stat.go.jp　＊政府統計のポータルサイト

　〈民間シンクタンク〉
　　　● 野村総合研究所　　　　　https://www.nri.com/jp
　　　● 電通総研　　　　　　　　https://institute.dentsu.com
　　　● 博報堂生活総合研究所　　https://seikatsusoken.jp

例文

貴社所有の10万戸の空き家を活用した地方創成事業の提案

国土交通省の調査によると 2023 年時点で全国の空き家数は約846 万戸です。空き家は年々増えており、地方自治体の非常に大きな課題となっていくと予想されています。貴社の経営計画のなかに地方自治体との地方創成事業の推進がありますが、私は貴社が所有する約 10 万戸の空き家（アニュアルレポートに記載）を活用した 3 種類の地方創生事業を提案します。これらは地方自治体の地域振興交付金を獲得し、収益化にも成功した全国 10 事業の手法を組み合わせたものです。提案書を面接にお持ちします。

ポイント

● 社会の動きを踏まえ、志望先の事業計画に合わせた企画を提案しています。説得力を高めるには裏づけデータを示すことです。

特殊な質問への答え方❼

当社のWebサイトの感想を
聞かせてください

意見や感想を聞かれたら、どう答えればいいのでしょうか。
率直に書くべきかどうか、悩む質問です。

● 意見・感想は伝え方が大切

ここでは**「当社の Web サイトの感想を述べてください」**を例に
解説しますが、感想や意見を求める質問の対象は、ほかにも**商品・**
サービス、店舗、CM などがあります。比較的頻出の質問です。

結論からいえば、意見や感想は**率直に答えてかまいません。**良い
と思ったら称賛し、欠けていると思ったら指摘してけっこうです。
称賛ばかり並べ立てたのでは、かえって「本心を書いていないので
は?」と疑われることもあります。

ただ、**表現上の礼儀**は心得ておくべきです。「欠点」だと思っても、
「おかしい」「ありえない」など、**対象を全面否定するような書き方**
をしてはいけません。あくまで、意見・感想を**「伝える」**というス
タンスでいること。そして**改善案を必ず添える**ことです。

● 感想の観点は3つ

さて「Web サイトの感想」ですが、質問には何についての感想
か明記されていません。ということは**3つの観点**が考えられます。

❶デザインについての感想

❷コンテンツ（内容）についての感想

❸ユーザビリティ（使い勝手）についての感想

採用側が最も期待しているのは❷です。❶や❸は、❷を補強する

ものと位置づけましょう。❷を書くためには、会社概要や IR 情報、企業理念、事業計画、採用情報といった**「一般向け以外のページ」**にも目を通してください。読んで感銘を受けたこと、印象に残ったことは、志望動機や自己 PR に絡めて書くと高評価が期待できます。また、これらのページはあまり目立たない場所に「入口」があるので、**アクセシビリティ**についても書くことができます（❸に該当）。❶と❸は**他社サイトとの比較にもとづいて**述べてもいいでしょう。

○「欠けている点」は最小限に

ネガティブな感想を書いても特に問題はありませんが、**最小限に抑えたほうがいい**ことも確か（ひとつ程度）。「こうすれば良くなる」という**改善案も添える**ようにしましょう。

採用情報のページが、親しみやすく、わかりやすい

新卒採用情報の案内ページがとてもわかりやすく、A 社のサイトと比較して、特に下記の点で勝っていると思いました。

●**トップページ上方に入口ボタンがある** →A 社は下の方にあるので見つけにくかったですが、貴社は迷わずにアクセスできました。

●**サブページの分類が合理的** →ほしい情報をすぐ入手できました。

●**社員紹介が親しみやすい** →営業部・山口様が書かれた「営業日誌」が楽しいです。就活生への応援メッセージにも感激しました。

以上のことから、私が貴社を志望する気持ちはさらに大きくなりました。ひとつ提案があります。IR 情報ページにある「中期経営計画」を採用情報のページにも配置してはいかがでしょうか。貴社の志望者にとっても必読の情報だと思います。

ポイント

○他社サイトと比較した感想で、良いと思った点を箇条書きにしたことで、わかりやすくなっています。最後に付した提案は、IR 情報も読んでいるという熱意 PR も兼ねています。

特殊な質問への答え方 **❽**

もし、あなたが
桃太郎になったら？

究極の困惑質問かもしれません。途方に暮れる人は多いでしょう。
そもそも出題者の意図はなんなのでしょうか？

● なぜ「桃太郎」なのか

　実際のところ、これとまったく同じ質問が出る可能性は高くありま
せん。では「レア中のレアな質問か」というと、そうともいいきれま
せん。**何かのキャラクターになったとして、どう行動するかを問う
質問**は、マスコミ業界でしばしば出題されます。ほかの業界でも、
企画職の募集で見かけることがあります。出題の意図はなんなので
しょうか。なぜ浦島太郎や金太郎ではなく「桃太郎」なのでしょう？

　桃太郎の設定やストーリーを考えれば、わかるでしょう。桃太郎
は「チームワーク」の物語です。集団劇なら「さるかに合戦」など
もありますが、明確な**リーダーが率いるチームで物事を成し遂げる
展開**は、昔話ではおそらく「桃太郎」が唯一でしょう。つまり、**ビ
ジネスにおけるチームプロジェクトを仮託しやすい話**なのです。

● どう「鬼が島」を攻略するか

　そう考えると〝解決策〟は見えてきます。**自分がリーダーとして
チームを率い、ビジネス商戦で勝ち抜くストーリー**をつくればいい
のです。もちろん、志望する企業のチームとして、です。

　イヌ、サル、キジは、チームのメンバー（同僚や部下）ということに
なります。となれば、鬼が島はライバル企業でしょう。鬼たちはライ
バル企業の社員でしょうか。競合商品にたとえることもできます。

チームメンバーの犬、猿、雉は、それぞれ得意とする分野や能力、スキルが違うので、リーダーである桃太郎（あなた）の〝適材適所〟の采配も工夫のしどころになります。

イヌ、サル、キジを、チームメンバーではなく、AIやビッグデータにたとえても面白くなりそうです。ほかにも「きびだんご」を仕事の発奮材料、具体的には経営理念や経営計画、社長の言葉などにおきかえたり、「刀」を志望企業の新商品になぞらえることもできるでしょう。

以上を参考にストーリーを考えてみてください。「桃太郎」に限らず、**どんなキャラクターであっても、志望企業のビジネスで成功するストーリーにする**ことが重要。**高評価を得るポイント**です。

例文
競合製品を徹底調査し、鬼が島社の優位を崩します

私が桃太郎なら、ライバル・鬼が島社製スマートフォンの使用状況を徹底調査し、どうすれば桃太郎社製品のシェア拡大につながるかを考えます。イヌ、サル、キジでプロジェクトチームを組み、イヌには街で、サルには高層ビル内で、キジには航空機内でそれぞれ使用状況を調査させ、収集したデータを解析して鬼が島社製の弱点を見つけます。それをカバーする機能を当社製品に搭載するよう提案し、併せて認知度アップのキャンペーン企画も提案したいと考えます。

ポイント

◉ あくまでたとえ話なので、ライバル企業の実名は出しませんが、関係者が読んだら「あの会社のこと」とわかるように書く必要があります。チームメンバーの役割は、もう少し具体的に書くと良いでしょう。

column5

「すべてが第一志望」と
考えよ

　回答にとまどう質問は、PART4 に挙げたほかにもいろいろあります。そのなかで、志望順位に関する質問は決して特殊ではありません。特に金融、商社、インフラ、マスコミ、旧財閥系企業でよく出されます。

　たとえば、某銀行のある年の ES では「①単独第一志望、②第一志望、③第二志望、④第三志望」のなかから選ぶよう指定されていました。この場合、③④を選んではいけないことはいうまでもありません。では、①を選ぶのが正解かというと、これも「非現実的」「真剣に考えていない」と判断されてしまいます (P.74 参照)。②を選択するのがベストです。

　ただ、なかには「志望の度合いが高くないのに『第一志望』と書くのは、嘘をつくようで抵抗がある」という人もいます。ですが、志望順位は、企業研究を進める過程で入れ替わることがあるくらい、あいまいなもの。また、「順位」といっても、度合いに大きな差はないはず。なぜなら、絶対入りたくない企業はそもそもリストアップしないでしょう。ならば、いっそのこと「すべてが第一志望」と考えてください。

　そして面接に進み、第一志望かどうか確認されたら、必ず「もちろんです!」と力強く答えましょう。くれぐれも、面接の雰囲気に飲まれたり、担当者の話術に乗せられたりして「実はほかの企業とどちらにするか迷っています」などと "本音" を口にしないように。結果的に不合格になる事例が、毎年必ず発生しているので要注意です。

PART

5

エントリーシートを書き上げる

いよいよ、エントリーシートを書き上げます。
ここまでの分析で、材料は十分にあるのがわかったので、
あとは文章のテクニックを学びます。
とはいえ、難しく考える必要はありません。
相手、つまりは採用担当者に正確に伝わるように
わかりやすく書くことがいちばんです。

書き方の基本❶
文章表現の基本を
確認しておこう

ESを実際に書き始める前に、読みやすい文章作成に必要な
基本事項を確認しておきましょう。

⬤ 文章表現の「基本6カ条」をもとに書こう

　日頃から SNS を楽しんでいる人は、投稿用の短い文の作成には
慣れていると思います。しかし、まとまったボリュームのある文章
となると、どうでしょう。書く機会は「ゼミのレポートくらい」と
いう人もいるのではないでしょうか。そこで、実際に書く前に、**ま
とまった文章を書く際の基本事項を確認**しておきましょう。基本事
項はいくつかありますが、ここでは〝基本中の基本〟である「6カ
条」を示します。

文章表現の「基本6カ条」

1「です・ます調」で統一する

　文末表現には「です」「ます」と「だ」「である」があります
が、ES の文章は「です・ます調」を基本にします。あえて「だ・
である調」にして論文的・コラム的にする手法もありますが、
レアケースと考えるのが無難です。最悪なのは「です・ます調」
と「だ・である調」の混在。全体を統一させることが必須です。

2「ら抜き言葉」を使わない

　「〜られる」を「〜れる」と表現するのが、いわゆる「ら抜
き言葉」です。会話では一般化していますが、文章ではまだ
NG です。

---

③長文を避ける

簡潔な文章を心がけ、長文は複数の文に分ける、箇条書きにするなどの工夫をしましょう。文の途中に「〜ですが」「〜ので」「〜けれども」「〜であり」などの語を入れたくなったら「要注意」のサインです。

NG ✖ 私は毎朝6km走っているので、体力には自信があります。

OK ◎ 私は毎朝6km走っています。だから体力には自信があります。

④主語と述語を近接させる

主語と述語の間にほかの文（修飾句）を入れると、文章が長くなるうえ、主従の対応関係があいまいになって、文意が伝わりにくくなります。複数の文に分けられないか検討しましょう。

NG ✖ 私は高齢者福祉について学び、実際の介護も体験して、とてもやりがいを感じたので、貴社の高齢者福祉事業で働きたいと考えます。

OK ◎ 私は貴社の高齢者福祉事業で働きたいと考えます。高齢者福祉について学び、実際の介護も体験して、やりがいを感じたからです。

⑤具体的に説明する

抽象的な表現（自分のキャッチフレーズなど）だけで終わらせず、エピソードを挙げる、数値データを示すなどして、具体的に説明することが大切です。「あれ」「それ」といった指示代名詞の使用は、最小限にとどめましょう。

⑥肯定的・断定的な文で明確に表現する

否定的仮定文（例「もし〜してなかったら」）や二重否定（例「〜しないことはない」）などの複雑な表現は、文意が正しく伝わらないおそれがあります。肯定的・断定的で明確な文章にしましょう。

NG ✖ もし私が貴社営業の松島様と出会っていなかったら、貴社の事業について知ることなく、入社を志望しなかったかもしれません。

OK ◎ 私は貴社営業の松島様と出会ったことで、貴社の事業について知りました。そして、貴社で働くことを志望するようになりました。

書き方の基本❷
文章構成の基本を確認しておこう

文章の構成について解説します。読み手に文意を伝えるには、全体を論理的に組み立てることが必要です。

○「つかみはOK」でいこう!

PART1で触れたとおり、ESはビジネス文書です。「結論」を先に書くことが、構成の"基本中の基本"になります。

とはいえ、単に結論を書いただけでは、最後まで読んでもらうことは不可能でしょう。そもそも採用担当者には大量のESが送られてくるので、すべてを熟読する余裕はありません。冒頭の数行で「先を読む価値があるか、ないか」を判断しているのが実状です。

したがって、冒頭部分には、ひと目で読み手の関心を引きつけ、その先へ誘導する工夫が必須になります。某お笑い芸人のフレーズを借りれば**「つかみはOK」**にするわけです。具体的には、関心を呼ぶ表現を使って**「結論」を「見出し」とする**のが効果的です。

○〈つかみ〉→〈展開〉→〈オチ〉で構成する

〈つかみ〉の**内容を説明する部分が「展開」**ですので、ここはわかりやすく述べなければなりません。そのためには、具体例を示す、小項目に分ける、箇条書きにするなどの工夫をしましょう。目を引くために、見出しを「えっ、どういうこと?」と思われるような表現にした場合は「実は……」というタネ明かし的な説明が必要です。

そして**〈オチ〉で文章を締めます**。〈オチ〉といっても「意外性」が求められるわけではありません。文章全体の印象を決定づける言

葉で締めくくります。具体的には、**入社への熱意**の言葉、**面接の予告**、**謝辞**などが考えられます。〈つかみ〉や〈展開〉の冒頭で使った言葉に関連づけた言葉で締め、印象を高める方法もあります。

　以上の流れを示したのが下の図です。この構成は、昔から論理的な文章の基本とされている「三段論法」、能楽の「序破急」、演劇の「三幕構成」に通じます。なお、作文の定番的構成「起承転結」も「つかみ→展開→オチ」の構成を念頭に置き、〈つかみ〉のある「起」、興味が高まる〈展開〉の「承・転」を書き、〈オチ〉が明確な「結」を意識しましょう。ESだけでなく、入社後の文書作成でも役立つので、ぜひ身につけておきましょう。

つかみ　**目を引く「見出し」と「結論」**

⬇

展開　**〈つかみ〉の内容を詳しく説明**

　・具体例を挙げる
　・小項目に分ける
　・箇条書きにする

⬇

オチ　**締めくくりの言葉**（熱意表明、面接予告、謝辞など）

　友情で培った語学力（中国語検定2級合格）

史学部で中国の春秋戦国時代を専攻しました。高校時代、ゲームの三国志を知ったことが動機です。深く学ぶには中国語の力をより高めることが必要であると感じ、中国語検定受験を決意。アルバイト先で知り合った北京出身の留学生に頼んで、読解や作文、会話の練習に協力してもらい、2級に合格。協力してくれた留学生も自分のことのように喜んでくれました。今ではいちばんの親友です。
入社の暁には、中国事業に携わりたいと思います。面接で志望動機を中国語で説明いたします。

文章作成❶
ガクチカを
600字で書く

では、実際に書いてみましょう。どれくらいの字数で書くか、
あるいは書けるのかを考える必要があります。

● どれくらい書けるかを判断する

　紙の ES の場合、ガクチカなどをアピールする欄は、比較的広め
に設けられています。とはいえ無限ではないので、**どれくらい入る
か判断し、その範囲内で文章をまとめる**必要があります。

　Web の ES の場合は、多くの企業が字数を指定しています。大き
く分けて「～字以内」と「～字程度」がありますが、「以内」は制
限字数を超えないように書かなければなりません。「程度」の場合
はさほど厳密ではなく、多少の超過や不足は許容範囲と考えていい
でしょう。とはいえ、**基準字数を大きく超えたり、極端に足りなかっ
たりするのは NG**。基準字数±５％くらいが常識です。

● どれくらい書けるかを確認する

　指定される制限字数は、企業によってさまざまです。短くて 200
字前後、大半は 300 ～ 400 字程度ですが、なかには 500 字、
1000 字といった長文を課す企業もあります。**事前に傾向を調べて、
文章作成のトレーニングをすること**が肝要です。

　ここではまず、600 字前後でガクチカをアピールする練習をして
みましょう。±５％の幅を考慮すると 570 ～ 630 字になり、400
字詰め原稿用紙で１枚半±１～２行ほど。力を入れたことや具体的
なエピソードを、かなり詳しく盛り込むことができます。

● どれくらい書けるかを実感する

とはいえ、実際に文章にすると、600字前後がどれくらいのボリュームになるか、ピンとこない人が多いのではないでしょうか。下の例文で実感してください。見出しを含め、これで600字です。

アルバイト先で身体を鍛えました（インストラクターの資格を取得）

スポーツクラブで2年間アルバイトをしました。最初は受付でしたが、2年目からはレッスンも指導しました。きっかけは、臨時でエアロビクスを教えたことです。インストラクターが急に辞め、困っていた店長が、高校でダンス部だった私に白羽の矢を立てました。会員様から好評をいただいたことで、研修を受けて正式なインストラクターになりました。

私はこのアルバイトを通して、次の3つを身につけることができました。

❶ **安全維持のため隅々まで意識を向ける。**
　会員様がけがをしないように、トレーニングマシンは正常に動いているか、床に異物は落ちていないかなど、館内の隅々に意識を向ける習慣がつきました。

❷ **会員様一人ひとりの体力レベルを判断し、ニーズに応える。**
　会員様はベテランから初心者までいらっしゃいます。レッスンするときは、スタジオ内の一人ひとりに気を配り、取り残される人がいないように気をつけています。

❸ **ハードな業務にも負けない健康な身体**
　体力づくりを心がけています。ほかのスタッフが急病になったため、同じ日にレッスンを5コマこなしたこともありました。3年半で大幅に体力が養われたと思います。

店長からは正社員のお誘いもいただきましたが、幼少の頃から憧れる放送業界への想いは断ち難く、貴社を志望いたしました。アルバイトで培ったスキルと経験を、放送の仕事でも役立てたいと思います。

多いと感じましたか？　少ないと感じましたか？

自身のPRではどうなるか、まず制限字数を考えずに書いてみましょう。その後、**600字前後に収まるよう調整**してみてください。

文章作成❷
ガクチカを
400字で書く

次に、400字前後ではどれほどの内容が盛り込めるか
探ってみます。600字と比較検討してみましょう。

● 字数を絞るために内容を吟味する

　前項で作成した600字の文章を、400字前後まで絞ってみましょう。原稿用紙の約半分の字数を削ることになるので、けっこう大幅な改編になります。しかし、それで**全体の文意や流れが変わっては台なし**です。どこが削れるか、入念に検討して見きわめてください。

　前項の例文で考えてみましょう。全体はおおむね次のような構成です。

1. 見出し
2. ガクチカの内容および関係するエピソードの説明
3. ガクチカから学んだことと、その補足説明（それぞれ3つ）
4. 入社への熱意表明

　まず、**カットの候補になるのは、具体的なエピソードの記述**です。レッスンを指導するようになったきっかけや、高校でダンス部だったことは、カットしても全体の文意に大きく影響しないと判断できます。ガクチカを通して身についた3つのことに補足的に付されている説明やエピソードも、カットして大丈夫でしょう。右ページ上の原文（600字）にマーカーで示した個所がカットの"候補"です。さらに、いい回しなども部分的に調整して書き直したのが、その下の文章です。これでだいたい400字。かなりカットしましたが、全体の構成や流れ、そして文章の趣旨は、さほど変わっていないと思います。

アルバイト先で身体を鍛えました（インストラクターの資格を取得）

スポーツクラブで2年間アルバイトをしました。最初は受付でしたが、2年目からはレッスンも指導しました。**きっかけは、臨時でエアロビクスを教えたことです。インストラクターが急に辞め、困っていた店長が、高校でダンス部だった私に白羽の矢を立てました。**会員様から好評をいただいたことで、研修を受けて正式なインストラクターになりました。私はこのアルバイトを通して、次の3つを身につけることができました。

❶**安全維持のため隅々まで意識を向ける。**
　会員様がけがをしないように、**トレーニングマシンは正常に動いているか、床に異物は落ちていないかなど、**館内の隅々に意識を向ける習慣がつきました。

❷**会員様一人ひとりの体力レベルを判断し、ニーズに応える。**
　会員様はベテランから初心者までいらっしゃいます。レッスンするときは、**スタジオ内の一人ひとりに気を配り、**取り残される人がいないように気をつけています。

❸**ハードな業務にも負けない健康な身体**
　体力づくりを心がけています。**ほかのスタッフが急病になったため、同じ日にレッスンを5コマこなしたこともありました。**3年半で大幅に体力が養われたと思います。
店長からは正社員のお誘いもいただきましたが、**幼少の頃から憧れる放送業界**への想いは断ち難く、貴社を志望いたしました。アルバイトで培ったスキルと経験を、貴社の放送の仕事でも役立てたいと思います。

アルバイト先で身体を鍛えました（インストラクターの資格を取得）

スポーツクラブで2年間アルバイトをしました。最初は受付でしたが、2年目からはレッスンも指導しました。臨時で教えたところ、会員様から好評をいただき、研修を受けて正式なインストラクターになりました。
私はアルバイトを通し、次の3つを身につけることができました。

❶**安全維持のため隅々まで意識を向ける。**
　会員様がけがをしないように、館内の隅々に意識を向ける習慣がつきました。

❷**会員様一人ひとりの体力レベルを判断し、ニーズに応える。**
　レッスンでは取り残される人がいないよう気を配っています。

❸**ハードな業務にも負けない健康な身体**
　体力づくりを心がけています。3年半で大幅に体力が養われました。
店長からは正社員のお誘いもいただきましたが、放送業界で働きたいとの想いは断ち難く、貴社を志望いたしました。アルバイトで培ったスキルと経験を、放送の仕事でも役立てたいと思います。

文章作成❸

ガクチカを
200字で書く

200字台になるとボリュームはかなり絞られます。
しっかり要点を押さえてまとめることが大切です。

● 簡潔ななかにも印象に残る工夫を

400字をさらに200字程度まで絞ってみましょう。原稿用紙半枚分（600字から考えれば丸1枚分）調整することになります。

これくらいの字数になると、**具体的なエピソードは盛り込みづらくなります。**詳細な説明は面接のときにすると割り切り、まずは面接につなげることを目標として、小見出しを目立たせるなど、**簡潔な構成を取りつつも読んだ人の印象に残る工夫を**してください。

例文では、400字の文章（右ページ上）のマーカーで示した個所（おもに補足説明や具体例）を整理し、下のような文章にしました（200字ジャスト）。かなり要点を絞っていますが、伝えたい趣旨は、もともとの文章から一貫して維持できています。

● 自由に書いた〝ベースの文〟を絞り込んでいく

ここまでの手順をおさらいします。

❶まず字数を気にせず書く

❷できた文の字数をカウントする

❸制限字数より多ければ削り、足りなければ書き足す

❹文意が変わらないように表現を調整して完成させる

〝本書き〟ではないので、手書き提出であっても、この段階ではパソコンを使ってかまいません。Wordなら「文字カウント」機能

で字数を確認できます。これを〝ベース〟にして検討していきます。

　ESを課す主要目的のひとつは、面接の質問の糸口にすることなので、削った内容がアピールできなくなってしまうことはありません。質問してほしいところは目立つように書きましょう。

アルバイト先で身体を鍛えました（インストラクターの資格を取得）

スポーツクラブで2年間アルバイトをしました。最初は受付でしたが、**2年目からはレッスンも指導しました。臨時で教えたところ、会員様から好評をいただき、研修を受けて正式なインストラクターになりました。**
私はアルバイトを通し、次の3つを身につけることができました。

❶**安全維持のため隅々まで意識を向ける。**
　会員様がけがをしないように、館内の隅々に意識を向ける習慣がつきました。

❷**会員様一人ひとりの体力レベルを判断し、ニーズに応える。**
　レッスンでは取り残される人がいないよう気を配っています。

❸**ハードな業務にも負けない健康な身体**
　体力づくりを心がけています。3年半で大幅に体力が養われました。

店長からは正社員のお誘いもいただきましたが、放送業界で働きたいとの想いは断り難く、貴社を志望いたしました。アルバイトで培ったスキルと経験を、放送の仕事でも役立てたいと思います。

アルバイト先で身体を鍛えました（インストラクターの資格を取得）

スポーツクラブで2年間アルバイトをしました。最初は受付でしたが、2年目に研修を受けて、正式なインストラクターになりました。
私はアルバイトで、次の3つを身につけることができました。

❶**意識を隅々まで向ける**

❷**会員一人ひとりのニーズに応える**

❸**ハードな業務にも負けない健康な身体**

これらのスキルと経験を、貴社の仕事でも役立てたいと思います。

自己PR文の作成❶

業界のニーズに合わせる

ESに書く文章を実際に書いてみましょう。
採用側のニーズに合わせた内容に仕上げることが肝要です。

● 採用側のニーズを踏まえて書く

実際にESの文章を書いてみましょう。最初から100％の仕上がりを狙ってはいけません。**何度も書き直してブラッシュアップする**ことが肝要ですので、5回や10回の書き直しは当たり前です。

ただし、狙わなければいけないこともあります。採用側のニーズを満たすテーマで書くことです。採用予定の人材に求められる素質は企業によってさまざま。また職種によっても異なります。志望する企業が何を求めているか、しっかり研究しておく必要があります。

ただ、同業各社でおおむね共通する素質も存在します。いわば業界が求めるニーズです。しっかり業界研究して確認しておきましょう。

● ニーズを満たす"ネタ"で自己PRする

求められる素質は職種によって異なり（PART2参照）、同じ会社でも営業職と企画職と事務職では違うわけですが、前述したように、**ベースとなる業界共通のニーズは存在します。**たとえば、金融業（銀行、証券、保険など）は他人の資産を扱うので「信用力」が何よりも大事です。メーカー（自動車、電気製品、化学薬品など）は、社内外の連携が重要なので「チームワーク力」の有無が、主要な関心事になります。そうした点をアピールする"ネタ"で自己PR文を書けば、採用担当者の印象に残る可能性は高まります。

「映え」より「責任」を大事にしています

　私はインスタグラムが大好きです。日常の出来事を撮影して投稿し、楽しんでいますが、絶対に守っていることがあります。人の顔を正面から写さないことです。以前、私自身が、知らない人の投稿写真に正面から写り込み、不快な思いをした経験があります。それ以来、正面が写る場合は撮らない、写ってしまったら投稿しない、可能なら許可を得る、の3つを守っています。人から信頼を得る第一は、まず相手の立場になることだと思います。入社後もこのことを肝に銘じ、営業の仕事に取り組みたいと考えます。

ポイント

○信頼されることを重んじ、責任ある行動をとっていることを、具体例を挙げてアピールした例文です。仕事で具体的にどう活かされるかを示すとなお良いでしょう。

「トイレ番長」と呼ばれています（アルバイト先の清掃主任です）

　居酒屋で3年アルバイトしています。接客と閉店後の清掃・後片づけが仕事です。トイレ清掃はバイトを始めた当初、仲間がやりたがらないなか、私が率先して始めました。以来、ずっと担当しています。今は後輩も一部を担当し、私は指示・監督をする清掃主任を任され、仲間内では「トイレ番長」と呼ばれています。皆が敬遠する仕事を最初に自分から始めたことで、その後、仲間一人ひとりが自分の役割を真剣に考えるようになったと感じています。貴社の仕事でもこの経験を活かし、協調して取り組みたいと思います。

ポイント

○他人が敬遠することを率先して始め、チームを牽引する立場になったことをアピールする例文です。タイトルも目を引きます。

自己PR文の作成❷
求められている
"力"は何か

マスコミや通信業、ネット企業向けの自己PR文について考えます。
共通するのは商材が「情報」という点です。

● 情報産業に求められる力とは?

　新聞やテレビなどのマスコミや、携帯電話などの通信業、SNS
などを扱うネット関連業は、金融業やメーカーとは、根本的な性質
が異なります。**情報や技術といった、ある意味"抽象的なもの"を
取り扱っているから**です。

　マスコミ業界が重んじるのは、やはりコミュニケーション力です。
実際に情報を伝えるアナウンサーだけでなく、ディレクターや取材
記者など、番組をつくる"裏方"のスタッフにも求められます。

　通信業界やネット関連業界もコミュニケーション力が重視されま
すが、技術革新が速い分野だけに、現状を把握して情報を分析する
能力や、新しい物事を生み出す創造力・企画力なども求められます。

●「必要」か「不要」か、ではないことに注意

　どの業界にも、特に重視される素質があります。十分に業界研究
をして確認し、それに合った自己PRを考えましょう。

　ただ、誤解してはいけないのは「この業界はAが必要だがBは不
要」ということではないことです。チームワーク力はマスコミ業界
にも必要だし、金融業界にもコミュニケーション力は不可欠です。
高評価を得る自己PR文を組み立てるには**何を柱にすれば最適か**、
という観点が大切であることを忘れないでください。

テニスで人のつながりを広げました（サークルの渉外係を担当）

テニスサークルで渉外を担当しています。私の大学にはテニスのサークルが4つありますが、以前はあまり交流がありませんでした。私が2年生になって渉外係に就いてから、ほかのサークルに提案し、3カ月に一度の合同練習、年1回の学内試合を行うことにしました。親睦会も行っています。現在は、ほかの大学のサークルにも呼びかけ、大学対抗戦の実現を目指しています。渉外係の活動を通じ、多くの人とつながる意義と楽しさを知りました。この経験を仕事に活かし、人と人がつながる番組づくりをしたいと思います。

ポイント

● 自らが相互コミュニケーションをしかけ、その中心として機能した実績をPRする例文です。企画力のアピールにもなっています。マスコミなど情報産業のニーズにマッチしているといえます。

小さな書店を有名にしました（ツイッターで本の情報を発信）

高校生のときから、地元の老舗書店で働いています。アルバイトというよりお手伝いですが、昔なじみの店長に頼まれ、現在まで続けています。ただ、近くに大型書店ができ、ネットの影響もあって売上は下がる一方でした。そこで、私が店のツイッターを開設し、新刊やお薦め本を発信し始めたところ、フォロワーが増え、遠くからもお客様が来てくださるようになりました。店長からとても感謝されています。このことでネットサービスの力を再認識しました。入社の暁には、町の個人店をサポートする事業を開拓したいです。

ポイント

● 企画力・創造力をアピールする例文です。やや志望動機に寄っていますが、ネットサービス関連企業などのニーズにマッチしています。文章はもう少し整理でき、検討の余地があります。

箇条書きは
戦略的に使おう

　時折「文章を書くことが苦手なので、自己PRや志望動機を、箇条書きにしてもいいでしょうか?」という質問がきます。ダメです! ESは「入社したい」という〝想い〟を伝えるツール。その意味ではラブレターのようなものですが、ラブレターを箇条書きする人はいません。また、自分の考えを文章にまとめるには基礎的な国語力が必要です。入社すればさまざまな書類を作成することになります。「基礎学力が足りないのか」と疑われるようでは、内定はおぼつかないでしょう。

　ただ、箇条書きが完全NGというわけではなく、文章の途中で使用するのは一向にかまいません。展開を整えて要点を際立たせ、読みやすくするためには積極的に利用すべきです。これまで各章で挙げてきた例文のなかにも、途中で箇条書きを入れている文章があります。メリハリが生じて読みやすく、内容も理解しやすいことがわかるでしょう。

　ESで重要なのは、書いた内容が読み手(採用担当者)に的確に伝わること。そのため、箇条書きは、上手に使えば非常に有効な伝達手段になります。どうすれば読み手に伝わるか、「戦略」を立てて書きましょう。基本は、目を引く言葉で簡潔に表現することです。抽象的な言葉ではなく、具体的な例や数字を挙げて、アピールポイントに説得力をもたせることが重要です。スペースや制限字数に余裕がある場合は、各項目を「見出し＋具体的な補足説明」で構成すると、より伝わりやすくなります。

6

自己PR動画を仕上げる

自己PR動画は、比較的新しい自己PRの手段です。
そのため、きちんと対策を立てて
臨んでいる学生は少ないといえます。
しっかりカメラを見つめて、笑顔でハキハキと話すこと。
この章で紹介する伝え方の工夫を実行すること。
これで、ライバルに大きな差をつけることが可能です。

動画作成の基本❶
動画のつくり方の基本を知っておこう

自由な動画づくりを楽しんでいる人も少なくないでしょうが、
就活用のPR動画にはいろいろと制約があります。

● 応募動画はシンプル＆オーソドックスがベスト

　自分の動画を撮るといっても、YouTube や TikTok などに投稿する動画と同様に考えてはいけません。就活における**応募書類の一部、あるいは事前面接**なのですから、撮り方や構成などには一定のルールがあります。まだ新しい選考方法だけに、すべての企業に共通するルールは定まっていない部分もありますが、企業側から指定された規定の厳守は当然ですし、それ以前に〝一般常識〟に照らし合わせて「いかがなものか」と思われることは避けるべきでしょう。

　その観点からいえば、アーティストのプロモーションビデオのような構成、奇抜な格好やパフォーマンスなど、**奇をてらった動画にする必要はありません。**熱意と明るさ、誠実さを伝えることが第一なので、結局はシンプル＆オーソドックスな内容にした人が合格評価を得られます。動画での演出は、奇抜さの追求ではなくて、あくまでわかりやすく正確に伝えるための補助手段と心得ましょう。

● 凝った映像づくりはNG

　スマホの動画編集アプリの性能も向上しているので、編集して字幕を入れたり、エフェクトをかけたりしたくなりますが、その必要はありませんし、そもそも動画編集ソフトの使用は NG の企業がほとんどです。制作着手前に制作規定を確認しましょう。

【自己PR動画作成の基本事項】

方法	何を使って撮影するかは自由。スマートフォンが最も手軽。ただし、提出時にファイルのタイプとサイズに留意が必要
長さ	企業側で指定することが多い。1分程度が一般的だが、45秒や30秒の企業も。それぞれ確認が必須
構成	1シーン1カット。つまり、時間内で継続して撮影し、カットを割ったり、複数のシーンを組み合わせたりしない
編集	基本的にNGだが、時間内に収めるため、最初と最後をカットすることは許されている場合が多い
効果	字幕、BGM、エフェクトなどは基本的にNGだが、企業によっては軽微な範囲で許される場合もあるので要確認
演出	フリップや小道具を使う、ユニフォームを着る、スポーツやダンスなどの実演をする、友人の出演など、最小限はOKな場合がある

最も伝えたいことや基本的な事柄は、フリップを作成して、視覚と聴覚のダブルで伝えましょう。名前なら「どういう字を書くのか」、珍しい専攻であっても「どういう分野なのか」が瞬時に伝わります。言葉で聞くだけよりも訴求力が高まります。

表彰された経験があれば、トロフィーや賞状などをもって演出する方法もあります。背後にさりげなく映り込ませても◯。「質問トラップ」(P.212)になります。「それはなんのトロフィーですか?」と、面接官の興味を引けばトラップは成功です。

動画作成の基本❷
作成手順と
フリップ方式

動画作成は、ひとつずつ進めれば難しくありません。
表現手法は限られていますが、フリップ方式で十分です。

○ 動画から "本質" が見抜かれる場合も？

本書では「自己PR動画」という呼称で統一していますが、企業側はいろいろな呼び方をしています。いくつか例示してみます。

・動画選考　・エントリー動画　・自己紹介動画　・動画面接
・録画面接　・動画課題　・アピール動画

自己PR動画を面接と同等に位置づけていることが、呼称からもわかります。決してESの "添え物" ではありません。極端なことをいえば、ESの内容が "立派" でも、動画から "本質" が見抜かれてしまう可能性も「なきにしもあらず」です。

自己PR動画の目的は、**動画を見た採用担当者に「会ってみたい」と思ってもらう**こと。入念に準備したうえで作成しましょう。

○ 3ステップで作成しよう

自己PR動画は、次の3つのステップを踏んで作成しましょう。

1. アピールするテーマを吟味する　→ P.188 〜 189 参照
2. シナリオを作成する　　　　　　→ P.194 〜 199 参照
3. 準備を整えて撮影に臨む　　　　→ P.200 〜 203 参照

なお、作成の前提として、**応募先の制作規定はしっかり確認**してください。規定を守らない動画は、見るまでもなく外されます。

○「フリップ方式」でいこう!

　自己PR動画は、原則として、字幕挿入などの**効果を入れること
ができません。**これに代わるものとして、フリップの使用を勧めて
います。用紙にアピールの要点を書いてカメラに掲げ、進行にした
がって、フリップを変えていきます。フリップは厚紙やイラストボー
ドを利用して1枚ずつ書いてもOKですが、**スケッチブック**に書い
て順次ページをめくる方法が、最も簡単かつスムーズに進行できま
す。次の内容のフリップ4枚の作成が基本です。

1枚目　**大学名・学部名、
　　　学科名、氏名**

2枚目　**学業についての
　　　アピール**

3枚目　**学業以外（課外活動など）
　　　についてのアピール**

4枚目　**入社後の抱負**

動画作成の基本❸
効果的な
テーマに絞る

最大1分程度なので「何をアピールするか」は
厳選する必要があります。自己分析をもとに、熟考しましょう。

● 自由テーマは「長所」を3つ以内に絞る

アピールしたいことがたくさんあっても、時間が限られているため、絞る必要があります。これまでの自己分析をもとに、**最もアピールしたいことと、基本4枚（内容によって追加）のフリップ、および最大1分の時間を勘案**して、何を取り上げるか検討してください。

〔差がつくシナリオ〕（P.194～199）で解説しますが、**アピールする「長所」は3つ以内**に絞りましょう。テーマによっては〔動画作成の秘けつ〕（P.190～193）で紹介する〝小道具〟の準備や友人の協力が必要になります。

● テーマは企業側から指定されることもある

企業側から動画のテーマが指定されるケースもあります。この場合は「自己PR動画」というより、**「動画選考」「動画面接」の性格が強い**といえます。いずれにしろ、事前の確認が必須です。

右ページはこれまで出された指定テーマの例ですが、なかには興味深い、ユニークな指定もあります。たとえば、資生堂の「自身をハッシュタグ（#）で表現せよ」というテーマ指定は、SNS全盛の「現代ならでは」といえます。ミリアルリゾートホテルズは、「笑顔で手を振ること」と、動画の終わり方まで指定しています。ここで気を抜き、適当な振り方をしたらアウト。この企業の仕事が接客であることを、忘れてはいけません。

〔企業の指定テーマの例〕

①「これは誰にも負けない」と思う事柄を伝えてください。　　　　（1分以内）
②「逆境」「リーダーシップ」というキーワードのいずれか、または両方を使って、自身のエピソードや考えを伝えてください。
（1分以上・2分以内）
ANA

「あなたらしさ」を3つのハッシュタグ（#）で表現し、その理由を合わせて1分間で説明してください。動画の構成などに制限はありません。自由に自分らしく表現してください。
資生堂

①あなたはどのような人間ですか。そう考える理由とともに教えてください。
（最大1分間）
②あなたは伊藤忠商事というフィールドで、どんなことをやってみたいですか。現時点のイメージでかまいませんので表現してください。
（最大1分間）
伊藤忠商事

学生時代に夢中で取り組み、創意工夫し、成し遂げたことについて、60秒以内で述べてください。
旭化成

①～③のなかから好きなテーマを選び提出してください。
　①あなたの強みを教えてください。
　②学生時代一番頑張ったことを教えてください。
　③当社の志望理由を教えてください。
→最後は手を振って笑顔で終了してください。
ミリアルリゾートホテルズ
＊補足：長さは30秒以内。同社は珍しく動画の編集を許諾している。

動画作成の秘けつ❶

自己PR動画で高評価を得るポイント

印象に残り、高評価を得る動画にするには、
留意すべきポイントがいくつかあります。

◉ 7つのポイントチェックで高評価の動画に

　自己PR動画の目的は、**ESとともに審査を突破して面接につなげること**なので、見た採用担当者が好印象を抱き、高く評価する動画に仕上げなければなりません。そのための**チェックポイントは7つ**あります。実際に作成する際の参考にしてください。なかでも、表情、声、内容、構成の4つは特に重要です。

高評価を得るための7つのポイント

姿　勢	良い姿勢を維持する
表　情	笑顔を絶やさずに
目　線	カメラのレンズを見つめる
声	大きめの声でハキハキと
ボリューム	詰め込みすぎない
内　容	仕事に即した内容で
構　成	内容が伝わる工夫を

きちんと笑顔を
つくる

軽く口角を上げ、撮影中はその笑顔をキープする。撮影終了ボタンを押したらはじめてリラックスしてもよい。

カメラ目線を
固定

目線がキョロキョロしていると、落ち着きがない印象に。撮影ボタンを押したら目線は固定、笑顔が基本。

カメラの高さ

目線に合わせて設置する。高さが合っていないと上目遣いになったり、あごの位置が定まらなかったりして姿勢が悪くなる。

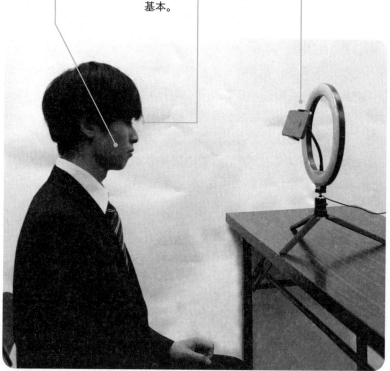

指定時間内に話す。そのためにはあれこれ詰め込まず、筋道立てて論理的に内容を組み立てることが重要。また、志望先の事業や業務のニーズに即した内容を話すことも大切。声は「ちょと大きいかな?」と思うくらいがちょうどよい。何度かテスト撮影をしてみよう。

動画作成の秘けつ❷

ライバルに差をつける工夫

自由につくれないとしても、なんの工夫もしなければ残念な出来に。
少しでも差をつける工夫をしましょう。

● 使う・使わないで大きな差がつく「フリップ方式」

　自己PR動画は、凝った映像づくりはできません。そうはいって
も、ただカメラの前で淡々と話すだけでは、味気ない動画になって
しまいます。採用側にしても、同じような動画を何本も見せられて
は辟易（へきえき）するでしょう。動画を見逃されるおそれもあります。

　そこで、**制約のなかでも自分の〝ウリ〟をアピールする工夫**が必
要になります。フリップ方式はその筆頭です。視覚に訴える分、言
葉だけの説明より強くアピールすることができるので、この方法を
使わなかったライバルとは、明らかな差をつけることができます。

●「軽微な演出」なら許容される場合が多い

　さらに差をつけるには**「演出」を工夫**してみてください。確かに、
凝ったつくりはNGですが、**合理的な理由にもとづいた「軽微な演
出」は、多くの場合、許容されています。**かえって熱意が伝わり、
高評価につながる可能性も大です。

　具体的には、**小道具を使う、ユニフォームを着る、ごく短時間の
特技実演、撮影場所の工夫、チームメイトの出演**などが考えられま
す。ただ、全体の流れや時間を考慮し、あまり影響しないよう注意
する必要があります。また、軽微な演出も含め「一切禁止」という
企業もあるので、事前に応募規定をしっかり確認してください。

ライバルに差をつける工夫の例

小道具の使用

スポーツで使っていた用具、実績がわかる写真や現物（賞状やトロフィーなど）、取得した資格がわかる免許状・証明書などを、話の途中で披露する。

ユニフォームの着用

スポーツチームのユニフォームを着たり、取り組んでいたダンスのコスチュームを着たりして撮影する。ただし、コスプレのようにならないように注意。

特技の実演

ダンスや楽器演奏、スポーツの特技などを披露する。収録時間に影響しないよう、数秒以内にとどめること。失敗したら最初から撮り直しになるリスクがある。

撮影場所の工夫

スポーツ実績をアピールするため体育館や屋外コートで撮ったり、語学力をアピールするため留学生ラウンジで撮影したり（外国人との会話を一瞬挟む）する。

チームメイトの出演

チームでスポーツや文化活動などに取り組んでいた場合、チームメイトも出演すると、チームワークがとれていたことがアピールできて、高評価につながる。

実際に内定を勝ちとった動画の切り出し。明るい表情に加え、イラストとキャッチーな言葉が印象に残る。

３つの長所を
アピールする

自己PR動画のシナリオをつくりましょう。
実際に、右ページに記入してみてください。

●アピールポイントは絞り込む

　自己PR動画では、時間に制限があるのでアピールポイントの絞り込みが必要です。**長所を３つ挙げるタイプ**からチャレンジしてみましょう。下がその例文で、下線部が作成のポイントです。

> 多津区大学、文学部、英文学科の色葉穂辺人です。
> **貴社の仕事で活かせる私の長所は３つあります。**
> **１つめは何事も入念な事前準備を欠かさないことです。**
> これはイベント会社のアルバイトで培いました。
> **２つめは説得力ある話ができることです。**
> これはゼミのディベートを通して身につきました。
> **３つめは半日運動しても疲れない体力があることです。**
> これは高校から続けているサッカーの練習で鍛えられました。
> 私は経日新聞に掲載されていた、この記事を読み、ぜひ貴社で働きたいと思うようになりました。事業に貢献できる社員を目指します。
> どうぞよろしくお願い致します。

下線部のところで〝小道具〟を用いると、印象が強くなります。この場合はサッカーボールやユニフォーム、実際の新聞記事やスクラップブックなどが考えられます。

【タイプⅠ：3つの長所アピール型のシナリオ】

_____ 大学、_____ 学科、

_____ です。

＊はじめに挨拶と自己紹介をする。

貴社の仕事で活かせる私の長所は3つあります。

1つめは _____ です。

_____ で学びました。

2つめは _____ です。

_____ で培いました。

3つめは _____ です。

_____ で鍛えました。

＊努力したことの具体例や成果、結果を簡潔に述べる。

＊下線部の表現は「学んだ」「培った」「身につけた」「習得した」「鍛
　えた」「鍛錬した」「高めた」「会得した」「磨いた」など。

貴社の _____ です。

よろしくお願い致します。

＊抱負の言葉で締めくくる。

例）「貴社の仕事にぜひ貢献したいです。よろしくお願いい
　　たします」
　　「貴社の○○にいちばん貢献できる社員を目指します。よ
　　ろしくお願いいたします」　　　　　　　　　　　など

※学業については、科目名やゼミ名、成績、取り組み方、努力したことなどを具
　体的に述べる（成績は高評価の場合のみ）。
※サークル活動、部活動、留学、アルバイトのこと、また、それらへの取り組み方
　や成果、評価などを具体的に述べる。

差がつくシナリオ❷
ひとつの長所と具体例を
アピールする

長所をひとつに絞り、それに関する取り組みをたくさんアピールする
構成にしてみましょう。時間制限に注意です。

○ 長所をひとつに絞ってアピールポイントを増やす

　「タイプⅡ」は**長所をひとつ**に絞り、その内容を詳しくアピール
する構成です。内容が多くなりがちなので、**テスト撮影と書き直し
を繰り返して仕上げていきましょう。**フォーマットはおもに具体例
を増減させながら、自身の状況に応じ、適宜変えてかまいません。

> 多津区大学、経済学部、経営学科の藍植雄です。
> **私の一番の長所は、空き時間を自己研鑽に活用していることです。**
> そのために心がけたことは３つあります。
> **まず、往復２時間の通学時間を活用することです。**
> 電車内では貴社の業界の専門誌を読むようにしました。
> **次に授業と授業の間の時間の活用です。**
> 留学生の友人に協力してもらい、英会話の練習をしています。
> **３つめはごく短い空き時間の活用です。**
> その場でスクワットをするなど、体力維持に努めています。

プラス・**ワンポイント**

この例も、下線部で〝小さな演出〞が可能です。専門誌を見
せる、友人を一瞬出演させる、スクワットを実演して見せる
などが考えられます。

【タイプⅡ：ひとつの長所＋具体例アピール型のシナリオ】

＿＿＿＿＿＿＿ 大学、＿＿＿＿＿＿ 学科、
＿＿＿＿＿＿＿＿＿＿＿ です。
＊はじめに挨拶と自己紹介をする。

私の一番の〔長所・強み・その他 ＿＿＿＿＿〕は　←かっこ内選択
＿＿＿＿＿＿＿＿＿＿＿＿＿＿＿ です。
＿＿＿＿＿＿＿＿＿＿＿＿＿＿＿　←簡潔な内容説明

そのために〔努力したこと・実行したこと・心がけたこと・
その他 ＿＿＿＿＿＿〕は、3つあります。　←かっこ内選択
まず ＿＿＿＿＿＿＿＿＿＿＿＿ です。
　たとえば ＿＿＿＿＿＿＿＿＿ をしました。
次に ＿＿＿＿＿＿＿＿＿＿＿＿ です。
　そのために ＿＿＿＿＿＿＿＿＿ をしました。
3つめは ＿＿＿＿＿＿＿＿＿＿＿ です。
　具体的には ＿＿＿＿＿＿＿＿＿ をしました。
＊努力したことや実行したことなどの具体例を付記する。
＊具体例の代わりに（またはプラスして）、成果・結果を挙げてもよい。
＊下線部の表現は内容に応じて適宜変更する。

貴社の ＿＿＿＿＿＿＿＿＿＿＿＿ です。
よろしくお願いいたします。
＊抱負の言葉で締めくくる。

例）「貴社の仕事にぜひ貢献したいです。よろしくお願い
　　いたします」
　　「貴社の〇〇でいちばん貢献できる社員を目指します。よ
　　ろしくお願いいたします」　　　　　　　　　　　　など

※具体例は、カットしても増やしてもよい。

差がつくシナリオ❸

学業と課外活動の実績を アピールする

学業に関連した長所と、それ以外の長所の2つに分けて
アピールします。仕事につながる長所が際立つ構成です。

● 取り組んだ内容を具体的にアピールする

学業、課外活動、アルバイトなどの取り組みを長所に関連づける
際に有効。内容が多くなりがちなので、**フリップを使いましょう。**

> 多津区大学、文学部、心理学科の井伊絵普児です。
> **学業で力を入れたことは、社会心理学です。最高評価のSを
> いただくことができました。**
> この科目は討論を何度も行うので、論理的に相手を説得する
> 技術を体系的に学びました。たとえば、意見の裏づけとなる
> データを引用すること、自分への反論もあらかじめ検討して
> おくことなどです。
> **学業以外で力を入れたことは、接客営業のアルバイトです。
> 店長から信頼されて時給が2割増しになり、リーダーにも抜
> 擢されました。**
> アルバイトで私が心がけたのは、自主的な行動です。常にお
> 客様全員に目配りし、求めていることを察知して素早く対応
> すること、とまどっている新人スタッフを素早くサポートす
> ることなどです。
> 貴社の仕事でも、社員の皆様から信頼される社員を目指して
> 頑張ります。どうぞよろしくお願いいたします。

プラス・ワンポイント

「最高評価S獲得」「論理的に相手を説得する技術を学
ぶ」など、キーワードをフリップで示すと効果的です。

【タイプⅢ：実績アピール型のシナリオ】

_____ 大学、_____ 学科、

_____ です。

＊はじめに挨拶と自己紹介をする。

私が学業で力を入れたことは、

_____ です。

_____ ←具体例1を説明

_____ ←具体例2を説明

_____ ←成果・結果を説明

＊「具体例」「成果・結果」はどれかひとつだけでも可（時間を勘案する）。

私が〔学業以外・課外活動〕で力を入れたことは、←かっこ内選択

_____ です。

_____ ←具体例3を説明

_____ ←具体例4を説明

_____ ←成果・結果を説明

＊「具体例」「成果・結果」はどれかひとつだけでも可（時間を勘案する）。
＊努力したことや実行したことなどの具体例を付記する。
＊具体例の代わりに（またはプラスして）、成果・結果を挙げてもよい。
＊下線部の表現は内容に応じて適宜変更する。

貴社の _____ です。

よろしくお願いいたします。　　　　＊抱負の言葉で締めくくる。

例）「貴社の仕事にぜひ貢献したいです。よろしくお願い
　　いたします」
　　「貴社の〇〇でいちばん貢献できる社員を目指します。よ
　　ろしくお願いいたします」　　　　　　　　　　など

動画作成の注意点❶

いい動画に仕上げるために
――撮影前の注意

スマホでの撮影を前提としていますが、ビデオカメラも共通です。
細かい気配りで、いい動画に仕上げましょう。

◉ 動画についての規定を確認しておく

　特に長さ（時間）とファイルサイズに要注意です。基本的に編集NGなので、規定時間内に収まるように撮りましょう。ファイルサイズは画質に比例します。近年、スマホのカメラは性能が向上し、４K撮影できる機種も一般化しました。そのため、そのまま撮影すると、規定サイズをオーバーすることがあります。企業によって許容サイズが異なるので、必ず確認し、オーバーしたら動画編集ソフトを使って調整しましょう。

　画角の縦横比も指定がないか確認しましょう。現在は16：9が一般的ですが、以前の標準である４：３もまだ使われています。あとで縦横比を変更できる動画編集ソフトもあります。

◉ 服装に関する規定はないか確認する

　服装が指定されていないか確認しておきましょう。指定があれば厳守です。なければ自由と解釈されるので、ユニフォームなどの着用もOKと思われますが、あまり奇抜な服装は避けたほうが良いでしょう。基本的にはスーツの着用が無難です。

◉ 部屋の装飾はシンプルに

　自室で撮影する場合は周囲に留意を。壁のポスターなどが映り込

んでは興ざめです。アピールに関係しないなら、カーテンなどで隠しておきましょう。自室が難しければ、**友人と大学の教室などを借りて撮影**しても良いでしょう。

◉固定して撮影する

　誰かに手持ちで撮ってもらうより、卓上に置けるスマホ用小型三脚や、カメラ用三脚に取りつけるスマホ用雲台を用い、**しっかり固定して撮影**しましょう。演出上必要な場合は手持ちでもかまいませんが、手ブレを最小限に抑える工夫や注意が必要です。

◉横アングルの撮影指定が多い

　スマホを縦にもって写真や動画を撮る人が多いですが、**横にもって撮影**しましょう。多くの企業が応募規定で横位置を指定しています。撮影前に必ず確認しましょう。前述したスマホ用三脚や雲台の多くは、横向きの装着を基本としています。

◉照明はできるだけ正面から

　顔にできる影に注意して照明の位置を調整しましょう。**正面からの照光**がベスト。いわゆる、女優ライトの使用も効果的です。スマホが装着できるタイプもあります。屋外撮影の場合は、逆光にならない時間帯を選びましょう。

　女優ライトはスマホの三脚がついたものが、インターネットなどで比較的安価に購入できます。

動画作成の注意点❷
撮影時と撮影後は
ここに注意せよ

撮影するときと動画を送付する前に注意すべき点です。
思わぬミスが隠れていることがあります。

● 思わぬミスに要注意

　自己PR動画を撮影したり、送付したりする際によくある失敗には、まず「バランスが悪くなってしまう」ことが挙げられます。よくあるのは顔の位置が低すぎ、画面の上半分がガラ空きになってしまう失敗です。また、「余計な雑音が入ってしまう」ことも。通行人の声や、鳥の声のほかに、車の音やサイレンにも気をつけましょう。最後に、送付前に必ず、ファイルサイズの確認を。許容範囲よりも大きいと、せっかく苦労して撮った動画を受け付けてもらえなくなってしまいます。スマートフォンの動画録画設定を確認して、最も低いものにしておくと良いでしょう。

● バストアップのアングルがベスト

　多くは上半身が入るように指定されています。このアングルが基本です。全身を撮影すると、顔が小さくなるのでアピール力に欠けてしまううえ、フリップの文字が読みにくくなります。

● 姿勢、笑顔、目線、声を意識する

　〔動画で高評価を得るポイント〕で示した、「良い姿勢」「笑顔の維持」「カメラ目線」「大きめの声」の4つを意識しましょう。きちんとできているか、撮影するたびにチェックしましょう。

○何回も撮影する

1回でOKということはありえません。テストも含めて何回も撮影し、そのなかから「ベスト1」を選択しましょう。映り具合だけでなく、声が反響したり、外の音が入ったり、屋外では風の音が入ったりしやすいので要注意です。

○送付する前に最終確認する

作成した動画は送付する前に必ず最終確認をしましょう。チェックポイントは次のとおりです。

・**動画の長さは規定時間内か**

長い場合は調整しますが、カットするのは冒頭か最後だけです。途中のカットはNG。調整が難しい場合は撮り直しましょう。

・**ファイルサイズは許容範囲内か**

大きい場合は、画質を下げ、許容サイズに収まるよう変換します。

・**ファイルタイプは指定どおりか**

mp4やm4v、movといった一般的な形式であれば、各社ともOKのはずですが、一応確認しましょう。

確認や調整はスマホの動画編集アプリでもできますが、パソコンに転送して、パソコンの動画編集ソフトでやったほうが楽です。大きな画面で確認できるので、細かな不具合もチェックできます。

【最終チェックシート】

チェック項目	応募先の指定	作成した動画	✓
動画の長さ（時間）	秒以内	秒	
ファイルのサイズ	MB以内	MB	
ファイルのタイプ			

column7

「リフレッシュご褒美」の
勧め

　就活はエネルギーを消耗します。インターンシップ、企業研究、OB・OG訪問など、取り組むべきことはたくさんありますし、なかでもES作成には多大な労力を要します。自己PR動画もつくるなら、手間はさらに増加。それほど苦労しても、内定する保証はない……ストレスが体や精神を圧迫し、心が折れてしまう人が出ても不思議ではないでしょう。

　実は就活においては、メンタルをどう制御し、モチベーションをどう維持するかが、合否の〝鍵〟を握っています。実際、複数社の内定を得た人に聞くと、ストレスを溜めず、上手に発散する方法を実践していた点が共通しています。具体的には「定期的にリフレッシュすること」「自分にご褒美をあげること」です。ぜひ次の5つを取り入れてみてください。

　①毎日1～2時間「リフレッシュ時間」を設ける
　②毎週1～2日「リフレッシュ日」を設ける
　③ESを提出するたびに「リフレッシュご褒美」
　④面接を受けたら「リフレッシュご褒美」
　⑤内定がとれたら「リフレッシュご褒美」

　要は、ONとOFF、頑張るときと休むときを設け、生活にメリハリをつけることです。ポイントは「計画的に実践すること」。手帳やカレンダーに予定を書いて、見える化しましょう。リフレッシュの時間・日には、どんなに気になっても、就活に関することは「一切しない」と決めてください。就活は長期戦ですが、先には明るい未来が待っているのです！

PART

7

ES－動画－面接は
つながっている

エントリーシートも自己PR動画も、
書き上げたらそれで「終わり」ではありません。
送付の際にも、エントリーシートはエントリーシート
ならではの、動画は動画ならではの注意が必要ですし、
どちらも最大の目的である面接、
そして採用につなげなければなりません。

ESと自己PR動画を仕上げる❶

エントリーシートは
何度も書き直すべし

工夫して書いてきたESを仕上げるときがやってきました。
面接につながる書き方ができているか、確認しましょう。

○「下書き→検討→書き直し」を繰り返す

　ここまで ES の書き方を解説してきましたが、「よし、わかった！」と、いきなり本書きに入ってはいけません。指定用紙が１枚しかない場合、書き損じたら泣くに泣けません。紙提出も Web 提出も、必ず**「下書き→検討→書き直し」を繰り返し**、文章をブラッシュアップしたうえで、清書にとりかかってください。

　Introduction でも述べましたが、この**書き直しを面倒がってはいけません。**これまでに大手企業の内定を得た人のなかには、20 回近く書き直した人もいます。この人は書き直すたびに、大学のキャリアセンター職員や志望企業に勤務する OB に見せ、助言をもらったとのこと。誰にもできる努力ではないと思いますが、少なくとも見直しは自分だけで行わず、必ず**ほかの人（社会人の先輩や家族など）にも見てもらい、意見を聞く**ようにしてください。自分では思いもよらなかった弱点がわかるものです。

○「面接」を意識して作成することが重要

　これも Introduction で触れましたが、ES の目的は、**面接に進むこと**です。もちろん、最終目的は採用されることですが、まず会ってもらわないことには、道が開けません。「そんなの当たり前」と思うかもしれませんが、ときどき「スペースを埋めることが目的に

なっているのでは？」と疑ってしまうような ES に出合うことがあります。**「面接を意識した書き方」** になっていないのです。

「面接を意識した書き方」とは、次のような書き方です。

❶ **面接につながることを狙った構成**
❷ **面接での質問を誘引する内容と効果**

❶は PART5 の〔文章構成の基本〕（P.170 ～ 171）で解説した、**〈つかみ〉→〈展開〉→〈オチ〉の 3 段からなる構成**です。

❷は次のページで解説する**「質問トラップ」**です。

○冒頭の数行が面接への道を開く

〔文章構成の基本〕で触れたように、ES は**冒頭の数行が「勝負」**です。採用担当者のもとには大量の ES が届くので、すべてについて全文・全項目に目を通す余裕は、時間的にも物理的にもありません。各項目とも冒頭の数行を読み、その先まで目を通す価値があるかを判断しているのが実情です。

したがって、各項目とも、**冒頭部分で印象づける**必要があります。見出しと本文冒頭の 1 ～ 2 行目、つまり**〈つかみ〉と〈展開〉の冒頭で読み手の関心を引き**、先へ読み進んでもらうよう誘導するわけです。この部分の工夫で、面接への道が開くかどうかが決まります。

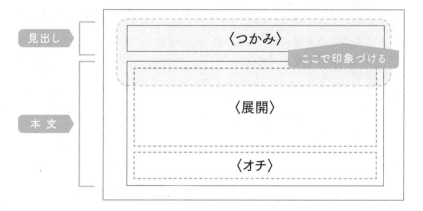

ESと自己PR動画を仕上げる❷

面接につながる
エントリーシートとは？

ESを面接につなげるテクニックの後半です。
表現の工夫で「してもらいたい質問」を誘引します。

● 書き文字をアレンジして印象を強める

　前項では構成を工夫して読み手の印象を強め、面接につなげることを狙いましたが、さらに文字表現にメリハリをつけて、読み手の印象を強めてみましょう。P.25 と P.27 でも触れているので参照してください。手法は手書き ES と WEB エントリーシートでは若干違いますが、意図はどちらも同じです。

　手書きは書くのが大変ですが、文字に変化を加えて表現できるメリットがあります。これを活かし、特にアピールしたい個所の文字にアレンジを加えます。具体的には次のような手法があります。太さが異なるペンを3種類くらい用意し、使い分けると良いでしょう。

- 大きめの文字で書く
- 太めの文字で書く
- 文字の書体を変える
- 文字列にアンダーラインを引く
- 文字を囲む

● WEBエントリーシートは記号で挟んでメリハリを

　WEB エントリーシートのフォームは、文字サイズの変更やアレンジができないのが普通です。改行できないことも多いので、「　」（　）〔　〕などのかっこや■●◎★などの記号を使います。アピー

ルしたい個所をかっこや図形で挟んで強調するわけです。

○「質問してほしいこと」をアピールする

こうしたアレンジは、ES で特にアピールしたい部分に加えます。特にアピールしたい部分は、面接の場でぜひ聞いてほしい部分でもあります。つまり、アピールしたい個所の強調には、こちらが望む質問を面接官がするよう誘引する狙いがあります。この意味から、私はこの手法を「質問トラップ」と呼んでいます。

質問トラップは、自分ではしかけたつもりでも、狙いどおりにならない可能性もあり、確実に効果があるかチェックしましょう。誰かに読んでもらい、それを踏まえてどんな質問をしたくなったか聞いてみます。ひとりではなく、何人かに聞いて確認しましょう。

● WEBエントリーシート

> ■販売の仕事で売上 UP。【10 種類の配置技】で結果を出す。パン屋でのアルバイトで、売上アップのために商品配置を徹底的に工夫しています。たとえば、①商品の配色に注意して隣同士を組む、②特に売りたいものを目線の高さに、③おいしく見える積み方にする、④新商品はライティングで特別感を出す、⑤敷物を替えて商品をよりおいしそうに見せる（あと 5 つは面接で紹介いたします）。そしてさらに、丁寧な接客を心がけ、"販売力"を磨きました。この結果、前年同月比売上 10％以上の増加継続に大きく貢献していると店長から認められました。

製菓会社内定

※「10 種類の配置技」を【 】で囲い、1行目に配置して目立たせて、質問を誘導する役割をもたせます。

● 紙のエントリーシート（手書き）

> 貴社のインターンシップに参加し、『新サービスを3つ提案』
>
> インターンシップに参加させていただき、営業部門の社員の山田浩和様に仕事内容を詳しくうかがいました。貴社で働きたいという気持ちがますます強まったため、貴社でぜひ挑戦したい新サービスを3つ考案いたしました。
>
> 1. 顧客数を増やす新サービス
>   → 経営計画 P17 に基づいて考案
> 2. 顧客単価を上げる新サービス
>   → 山田様の成功談から考案
> 3. サブスク契約切り替えの新サービス
>   → インターン体験から考案
>
> 具体案は面接にて述べさせていただきます。どうぞよろしくお願いいたします。

通信会社内定

※「新サービス」について、見出しで目立たせ、本文中でも太字の箇条書きにして目立たせ、質問を誘導します。

ESと自己PR動画を仕上げる❸
好印象を
キープする

ESだけでなく自己PR動画も面接につながるように作成します。
どんな点に注意すれば良いでしょう?

● 自己PR動画から質問される可能性は大

　自己PR動画は大半が1分以内と短いため、ボリュームが多い
ESと違い、**全編を見てもらえる可能性は高くなります。面接で質
問される可能性も高い**でしょう。映像と音は記憶に残りやすいうえ、
盛り込む内容が絞り込まれるため、動画の内容が**最重要アピールポ
イント**と解釈されるからです。それだけに、シナリオを練り、緊張
感をもって撮影に臨む必要があります。ただ〝ライブ〟である
Web面接と異なり、何度も撮り直しが可能です。

● 面接につながる動画は「好印象」が重要

　面接につながる自己PR動画の条件は、何よりも**好印象で映って
いること**です。アピールの内容がよくても、映っている当人の印象
が今ひとつなら、採用担当者はすんなり面接につなごうと思わない
でしょう。逆に自己PRの内容に少々難があっても、**終始好印象だっ
たら「本人に会ってみよう」と思う可能性は高くなります。**

　好印象の動画を撮るには、まずPART6の〔高評価を得るポイント〕
(P.190 〜 191)に挙げた、表情や姿勢、声などに注意することです。
これを含め、5つの観点からのチェック項目を右ページに示しまし
た。作成した動画と照らし合わせてみてください。**ほかの人にも動
画を見せ、チェックしてもらうと、より客観的になります。**

〔好印象の動画をつくるためのチェックシート〕

1. 姿勢・表情・目線・声

☐ 良い姿勢が全編を通じて維持できているか
☐ 明るい笑顔が全編を通じて維持できているか
☐ 目線はカメラに向いているか
☐ 聞き取りやすい声でハキハキと話せているか
☐ 自然なアクションができているか

2. 服装・身だしなみ

☐ フォーマルな服を着ているか
☐ 清潔感あるヘアスタイルをしているか
☐ 過度なメイクをしていないか

3. 撮影

☐ カメラのレンズの位置が目と同じ高さになっているか
☐ 上半身が適度な大きさで映っているか
☐ 画面が揺れるなどカメラが不安定になっていないか
☐ 顔に濃い影ができていないか

4. 周囲の状況

☐ 背景にポスターなどが映り込んでいないか
☐ 雑然とした部屋が映り込んでいないか
☐ 雑音や生活音、着信音などは入っていないか
☐ 突発的な物音や人の声などは入っていないか

5. 使用する小道具

☐ フリップは読みやすいサイズで映っているか
☐ 提示する写真は見てわかりやすいサイズか
☐ 適切な現物を使っているか

ESと自己PR動画を仕上げる❹

面接を有利に運ぶ
動画の〝しかけ〟

自己PR動画も、ES同様、面接に進んだ際に有利な質問を
誘い出す〝しかけ〟をすることができます。

● 動画にも〝質問トラップ〟をしかける

　ESで、文字のサイズに変化をつけたり、記号を使ったりして強調し、面接時に有利な質問が出されるよう誘引する質問トラップについて紹介しましたが（P.208～209）、自己PR動画にも同様の手法があります。いわば動画版の質問トラップです。

　方法はいくつかありますが、最も簡単なのは、フリップの書き方・見せ方の工夫や小道具の利用でしょう。身振り手振りなどのアクションを加えるのも効果的です（右ページ参照）。

●「さりげない背景」も試してみる価値あり

　PART6の〔撮影前の注意〕（P.200～201）で、壁のポスターは外すなど、シンプルな背景にすることを推奨しました。しかし、あえて背景に物を配置し、自己PRに利用する方法もあります。

　たとえば、本棚に志望業界に関するビジネス書を並べておくと、「業界研究をしっかりしている」と印象づけられ、面接での質問につながる可能性があります。ただし、不自然にならないように。並んでいる本が全部ビジネス書では、狙いがあからさまで逆に評価を下げます。他ジャンルの本と並べて、さりげなく、かつ、しっかりと見える位置に配置するのがコツです。本のほかにも、賞状やトロフィー、スポーツ用具、また自分の作品なども考えられます。

〔自己PR動画で可能な、面接につながる"しかけ"〕

　自己PR動画で可能な"しかけ"をいくつかまとめました。方法はほかにも考えられるので工夫してみてください。あくまでも「さりげなく自然に」がポイントです。なお、意図しないものが映り込んでいた場合、それについて質問されてしまう可能性があるので要注意です。

フリップは文字の大きさや配置を工夫してメリハリをつける。

写真や"小道具"を併用してフリップの内容を補強する。

強調したいところでは、身振り手振りなどのアクションを加える。

フリップで強調したい部分は、指で差してわかりやすく示す。

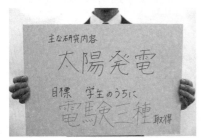

特にアピールしたいフリップは、ややカメラに近づけて掲げる。

背景に自己PRに関連する物を、さりげなく配置するか、もってアピールする。

面接シミュレーション❶

エントリーシートにもとづく 面接シミュレーション

ES を提出してひと息つきたいところですが、 すぐ「面接」に向けた準備を始めましょう。

●面接で向けられる質問を想定する

　ES は、文字どおり「入口」で見せる書類です。皆さんの目的は、志望企業の「中」へ進んで面接を受けさせてもらうことですから、ES を提出し終えたら、**直ちに面接に向けた準備を始めなければなりません。**すなわち……

❶面接担当者から向けられる質問の想定

❷想定質問に対する回答の明確化

を行うことです。具体的には、予想される質問をリストアップし、それぞれに対する回答をまとめた**想定問答集**をつくりましょう（右ページ参照）。**質問は ES から出される**のは確実なので、書いたことは、その背景や関連する事柄も含め、何を聞かれても明快に答えられるようにしておく必要があります。この観点からも、面接で質問してもらいたい内容を強調して示す**「質問トラップ」**の有効性と重要性が理解できると思います。

●必ずほかの人とシミュレーションを行う

　想定問答集をつくっても、それが実際の面接で活かされなければなんにもなりません。また、自分では完璧に準備したつもりでも、いざ〝本番〟で緊張が頂点に達してしまい、何も話せなくなることもよくあります。

したがって、事前の**シミュレーション**が不可欠になります。実際の面接を想定し、質問の受け答えを練習するわけです。

　ここで注意したいのは、**自分だけでシミュレーションしない**ということ。自分だけでは気づかない〝盲点〟があるからです。必ず、**ほかの人を面接担当役に立てて練習しましょう。**何人かの友人と組み、質問役と回答役を入れ替えながら練習すると、率直な意見交換ができます。また、社会人の先輩に協力してもらうと、企業側の目線に立った質問やアドバイスが期待でき、非常に参考になります。ベストの人選は、志望先に勤務している OB・OG です。

〔面接想定問答集1〕

予想される質問	回　　答

自己PR動画にもとづく
面接シミュレーション

自己PR動画にもとづく質問も当然想定されます。
映っているものすべてが質問の対象になることを肝に銘じましょう。

● 自己PR動画から質問が出る可能性は高い

　自己PR動画を提出した場合は、当然ながら、そこからも質問が出る可能性があります。むしろ、**出されると思っていたほうが良い**でしょう。ボリュームが多く全文読まれる保証がないESと違い、自己PR動画は長くて1分程度なので、**最後まで見られる可能性が高く、印象に残りやすい**からです。また、短い時間内にセールスポイントを絞って盛り込んでいるため、それが当人にとって**最もアピールしたいこと**と解釈されることが多いのです。

　本書が推奨している**フリップ方式**では、フリップの内容がアピールポイントのエッセンスになっているので、このなかから質問が出される可能性は高いといえます。したがって、フリップに書いた内容については、どんな質問がきても、明快に答えられるようにしておかなければなりません。次ページにフリップ方式専用の想定問答集を載せたので使ってみてください。

● 映っているものすべてが質問の対象になりうる

　〔ESと自己PR動画を仕上げる❹〕（P.212〜213）で、質問を誘う自己PR動画の〝しかけ〟を紹介しましたが、意図しないものが映り込んでいると、それについても質問されるおそれがあるので要注意です。また、特技や外国語会話の簡単な実演などを短時間挟んだ

場合、面接の場で「やってみてください」といわれる可能性もあります。

自己 PR 動画は、**映っているものすべてが質問の対象になりうる**ということを理解して作成し、面接の準備を進めましょう。

〔面接想定問答集2〕

☐ 番目のフリップに書いた内容	
予想される質問	回　答

エントリーシートの提出❶

エントリーシートには必ず 送付状をつける

苦労して書き上げたESをいよいよ提出します。
最後まで気を抜かないように。送付状にも注意が必要です。

●「添え状」は〝添え物〟ではない

　紙のESを提出する際は、「不要」と指示されていない限り、挨拶文を書いた**「送付状（添え状）」**をつけましょう。ただ、出鼻をくじくようですが、送付状は、まず読まれません。「ならば書くだけムダでは？」と思うかもしれませんが、**「送付状がある」ということに意義がある**のです。「じゃあ、適当に書いておこう」と思った人、アウトです。採用担当者は、応募書類を数え切れないほど見てきた達人。いいかげんな文や誤字脱字は一瞬で見分けます。建て前上、送付状は評価に無関係ですが、手抜きの送付状で印象が悪くなり、評価が辛くなる可能性も「ない」とはいい切れません。受け取った側は、送付状に書かれている内容より、**丁寧な送付状が添えられていることに、提出した人の〝真剣さ〟を認める**のです。

●「送付状」もビジネス文書である

　送付状は右ページのような構成で作成するのが基本です。手書きかパソコンかの決まりはありませんが、同封するESや履歴書が手書きならば、**送付状も手書きにすべき**でしょう。縦書き・横書きの決まりもありませんが、やはりESや履歴書に合わせて横書きにするのが無難です。要は**提出文書全体で統一させる**ことです。**送付状もビジネス文書のひとつ**と考えてください。

TAC株式会社
人事部採用グループ
〇〇〇〇　様

宛名

提出日　令和5年〇月〇日

多津区大学　文学部　英文学科
色葉穂辺人
〒〇〇〇−〇〇〇〇
東京都〇〇区〇〇〇1−2−3
連絡先：090−〇〇〇〇−〇〇〇〇
Eメール：〇〇〇〇〇〇@〇〇〇〇〇

差出人と
連絡先

タイトル

頭語と
時候の挨拶

応募書類の送付について

拝啓　貴社におかれましては、ますますご隆盛のことと、お慶び申し上げます。

私は、多津区大学文学部英文学科3年の色葉穂辺人と申します。　本文
この度、貴社の新卒者採用において、ぜひとも選考の機会をいただきたく、エント
リーシートおよび履歴書をお送りいたします。
私は貴社の通信講座を2回受講した経験があり、わかりやすい教材とカリキュラ
ム、検定試験の高い合格率に敬服しておりました。質の高い教育の基本には「プ
ロフェッションの養成を通して社会に貢献する」という経営理念があることと、その
意味するところを知って感銘いたしました。そして、私も貴社の通信教育事業に携
わり、多くの人々の能力向上に貢献したいとの思いを強くしました。
つきましては、同封しましたエントリーシートおよび履歴書をご査収いただき、ご検
討のうえ、面接の機会をいただければ、大変ありがたく存じます。
どうぞよろしくお願い申し上げます。

結語　敬具

記書き

記
エントリーシート1枚
履歴書1枚

以上

エントリーシートの提出❷
Webで提出するときの 注意点

Webサイトから提出するESは、特有のミスを起こしやすいため、
紙とは異なる注意が必要です。

●WEBエントリーシートで起こしやすいミス

Introduction や PART1 で触れたように、近年は WEB エントリーシートを導入する企業が増えています。作成時の負担は手書きに比べて少ない反面、次のようなミスを起こしやすいので要注意です。

□誤字脱字を起こしやすい

WEB エントリーシートで最も多いミスです。打ち間違え、変換ミス、間違った漢字で覚えていた、などが原因として考えられます。モニターの表示を見直しても気づかないことが多く、厄介です。

□添付ファイルのサイズが大きい

添付写真のファイルサイズは、最大値が指定されているのが普通です。これより大きいファイルを送ろうとするとエラーになります。

□タイムアウトになる

サイトの最大接続時間が決められていることが多々あります。時間内に送信できなかった場合、ログインからのやり直しになります。

□ネット接続が切断される

これはミスというよりアクシデントですが、回線やサーバーにトラブルが発生し、接続状態が不安定になったり、急に途切れたりする場合があります。また、提出期限が近づくと送信が多くなり、サーバーに負荷がかかってアップロードのスピードが低下したり、許容量を超えてダウンしたりする可能性もあります。

●WEBエントリーでミスしないために

　以上に挙げたミスを犯さないようにするための方法は簡単。**次の2つを心がける**だけです。ぜひ実行してください。

□下書きをしてからコピー＆ペーストする

　サイトのフォームには直接入力せず、Word などで**下書きし、そのテキストをコピー＆ペーストする**ようにしてください。書き上げた文章は、誤字脱字がないか、不自然な表現はないか、論理的な展開になっているか、などを確認します。このとき、モニター上ではなく、必ず**プリントアウトしてチェック**することが大切です。不思議なことに、プリントアウトして見直すと、モニター上では気づかなかったミスが、けっこう見つかることがあります。

□締め切り2～3日前までの平日に送信する

　アップロード中の回線切断やサーバーダウンの危険を避けるため、**提出期限の2～3日前までに送信を終えましょう。**あらかじめ1～2日程度の〝予備日〟を設けておけば、精神的に楽なうえ、不意のアクシデント、たとえば、写真のファイルサイズを調整し忘れて送信エラーになったなどの場合でも、余裕をもって対応できます。

　送信する時間帯も注意。一般に「常識的」とされる時間帯に送るのが無難です。特に**深夜の送信は極力控える**こと。送信した時刻が評価対象になるとは思えませんが、「参考としてみる」という可能性も「なきにしもあらず」です。生活態度やスケジュール管理能力を疑われるおそれもありますし、企業によっては、深夜の時間帯はサーバーのメンテナンスでアクセスができない場合もあります。

　休日（特に夜）も避けるのが無難。サーバーにトラブルが発生した場合、すぐに技術的な対応ができず、営業日を待ってからの復旧になることもありうるからです。**平日の昼間がベストです。**

エントリーシートの提出❸

提出したエントリーシートを
管理する

ESは「提出して終わり」ではありません。
しっかりと整理し、管理しないと、面接の対策につながりません。

●ESを面接につなげるために

　ESをもとにして面接をシミュレーションする (P.214 ～ 217) ためには、"写し" が必要です。必ずコピーをとっておきましょう。

　また、ただコピーをとるだけでは、どのESをどの企業に送ったのか、わからなくなってしまいます。これではその企業ごとの対策が立てられません。

　ではどのように保管したら良いのでしょう。まずは面接シミュレーションでやるべきことを考えてみましょう。

　最初に、自分のしかけた質問トラップ (P.212 ～ 213) がしっかりと機能すると仮定して、想定問答を行います。友人か両親、できればOB・OGに相手をお願いしましょう。

　次に、その回答から生まれるであろう会話の展開も予想しておきます。このように、あらゆる角度から準備しておけば、当日の面接であわてることはありません。

●応募先ごとに整理・管理する

　上記のような面接準備を行うためには、自分の書いたESの内容をきちんと把握しておくことが大切です。当たり前のことのように聞こえるかもしれませんが、応募先によって質問も異なりますし、応募先が多岐にわたるとどこでどのように答えたか混乱してきま

す。また、提出してから時間をおくと、記憶もあいまいになってしまいます。そうならないためにも、提出したあとも気を抜かず、ESの〝写し〟をしっかりと整理し、管理しておくことが大切なのです。

　管理方法は、自分がわかりやすいのがいちばんです。ここでは、「どうやっていいのかわからない」という人のために、紙ベースとデジタル化の２つに分けて説明します。いずれも持ち歩けるスタイルなので便利です。

□ 紙ベースで管理する方法
提出した書類をコピーする
⇨ 穴を開けてファイルに閉じる
⇨ クリアファイルに挟み、応募先ごとに保管する

メリット	・注意点や反省点などを素早く緻密にメモできる ・OB・OG訪問などで社員にチェックしてもらいやすい
デメリット	・志望先が多いとかさばる

□ デジタル化してファイリングする
提出したESごとに複製をつくる
提出したESのキャプチャを撮る
紙のESはスマホで撮影する
⇨ PC内のデータとして管理する
⇨ クラウドのストレージサービス（Googleドライブなど）にフォルダごとアップロードする

メリット	・自己PR動画のファイルと一緒に管理できる ・外出先でもスマホやタブレット端末から確認することができる
デメリット	・注意点や反省点を書き込むのが容易でない

■監修者紹介■

坂本直文
さかもとなおふみ

就職コンサルタント・キャリアデザイン研究所代表。採用情報、コーチング技術等を駆使した実践的指導を行う。立教大学理学部物理学科卒。

大学時代から就職コンサルタントを志し、証券会社、広告代理店、新聞社、教育業界にて実務経験を積み、現研究所を設立。東京大学、京都大学、大阪大学、早稲田大学、立教大学など全国 90 以上の大学で就職講座の講師を務める（主催は、大学、大学生協、その他）。主な著書に『内定者はこう書いた！エントリーシート・履歴書・志望動機・自己 PR 完全版』、『内定者はこう話した！ 面接・自己 PR・志望動機 完全版』（以上、高橋書店）、『就活テクニック大全』（東洋経済新報社）、『グローバル企業・外資系企業を目指す人のための就職転職ガイド』（マイナビ出版）など多数。

・監修者 MAIL　　sakamoto393939@yahoo.co.jp
・監修者 Twitter　　@ SakamotoNaofumi

装丁：若井夏澄
本文デザイン：東京 100 ミリバールスタジオ
本文 DTP: 松田祐加子（POOL GRAPHICS）
イラスト：ハザマチヒロ
執筆協力：清水一哉（紗羅巳画文工房）
就活生モデル：里吉由宇
編集制作：佐藤友美（ヴュー企画）
営業：佐藤望（TAC 出版）
編集統括：田辺真由美（TAC 出版）

Settsu Studio（セッツスタジオ）
〒 658-0072
神戸市東灘区岡本 1-11-25
TEL: 078-451-1601
FAX: 078-451-2672
HP: http://www.settsuphoto.com
営業時間：10:00 ～ 19:00（火～土、祝日）
　　　　　10:00 ～ 18:00（日曜）
定休日：毎週月曜日

2027年度版
エントリーシート&自己PR の教科書 これさえあれば。
じこ　　　きょうかしょ

2024 年 12 月 10 日 初版 第 1 刷発行

監修者	坂本直文	
発行者	多田敏男	
発行所	TAC 株式会社 出版事業部（TAC 出版）	
	〒 101-8383 東京都千代田区神田三崎町 3-2-18	
	電話　03（5276）9492（営業）	
	FAX　03（5276）9674	
	shuppan.tac-school.co.jp	
印刷	株式会社光邦	
製本	東京美術紙工協業組合	

©TAC 2024
Printed in Japan
ISBN 978-4-300-11591-6
N.D.C. 377

書籍の正誤に関するご確認とお問合せについて

書籍の記載内容に誤りではないかと思われる箇所がございましたら、以下の手順にてご確認とお問合せをしてくださいますよう、お願い申し上げます。

なお、正誤のお問合せ以外の書籍内容に関する解説および受験指導などは、一切行っておりません。
そのようなお問合せにつきましては、お答えいたしかねますので、あらかじめご了承ください。

1 「Cyber Book Store」にて正誤表を確認する

TAC出版書籍販売サイト「Cyber Book Store」の
トップページ内「正誤表」コーナーにて、正誤表をご確認ください。

CYBER TAC出版書籍販売サイト
BOOK STORE

URL:https://bookstore.tac-school.co.jp/

2 1の正誤表がない、あるいは正誤表に該当箇所の記載がない ⇒ 下記①、②のどちらかの方法で文書にて問合せをする

★ご注意ください★

お電話でのお問合せは、お受けいたしません。

①、②のどちらの方法でも、お問合せの際には、「お名前」とともに、
「対象の書籍名（○級・第○回対策も含む）およびその版数（第○版・○○年度版など）」
「お問合せ該当箇所の頁数と行数」
「誤りと思われる記載」
「正しいとお考えになる記載とその根拠」
を明記してください。

なお、回答までに1週間前後を要する場合もございます。あらかじめご了承ください。

---

① ウェブページ「Cyber Book Store」内の「お問合せフォーム」より問合せをする

【お問合せフォームアドレス】

https://bookstore.tac-school.co.jp/inquiry/

---

② メールにより問合せをする

【メール宛先　TAC出版】

syuppan-h@tac-school.co.jp

※土日祝日はお問合せ対応をおこなっておりません。
※正誤のお問合せ対応は、該当書籍の改訂版刊行月末日までといたします。

乱丁・落丁による交換は、該当書籍の改訂版刊行月末日までといたします。なお、書籍の在庫状況等により、お受けできない場合もございます。

また、各種本試験の実施の延期、中止を理由とした本書の返品はお受けいたしません。返金もいたしかねますので、あらかじめご了承くださいますようお願い申し上げます。